D1086209

Les Éditions du Boréal
4447, rue Saint-Denis
Montréal (Québec) H2J 2L2
www.editionsboreal.qc.ca

LA BRÈCHE

DU MÊME AUTEUR

CHEZ LE MÊME ÉDITEUR

Borderline, roman, 2000 ; coll. « Boréal compact », 2003.

Marie-Sissi Labrèche

LA BRÈCHE

roman

Boréal

L'auteur remercie le Conseil des Arts du Canada pour le soutien apporté à la rédaction de ce livre.

Les Éditions du Boréal reconnaissent l'aide financière du gouvernement du Canada par l'entremise du Programme d'aide au développement de l'industrie de l'édition (PADIÉ) pour ses activités d'édition et remercient le Conseil des Arts du Canada pour son soutien financier.

Les Éditions du Boréal sont inscrites au Programme d'aide aux entreprises du livre et de l'édition spécialisée de la SODEC et bénéficient du Programme de crédit d'impôt pour l'édition de livres du gouvernement du Québec.

Couverture : Brigitte Henry, *Sans-titre*, 1999.

Dépôt légal : 1er trimestre 2008
Bibliothèque et Archives nationales du Québec

Diffusion au Canada : Dimedia
Diffusion et distribution en Europe : Volumen

Catalogage avant publication de Bibliothèque et Archives nationales du Québec et Bibliothèque et Archives Canada

Labrèche, Marie-Sissi, 1969-

La Brèche

2e éd.

(Boréal compact ; 193)

ISBN 978-2-7646-0571-4

I. Titre.

PS8573.A246B73 2008 C843'.6 C2007-942360-4

PS9573.A246B73 2008

Encore une fois, à ma petite mémé
qui disait toujours qu'il ne faut pas
se faire chier avec les hommes.
Elle est morte alors que je m'apprêtais
à terminer ce roman.

Un seul être vous manque, et tout est dépeuplé !

ALPHONSE DE LAMARTINE

Je sens que j'hallucine et j'ai peur de partir comme
un fou vers la mort
et j'ai des grands instants de lucidididididididdididité !
Fuck the system do it, do it, do it, do it yeah !

JEAN LELOUP

PREMIÈRE PARTIE

La tête dans la gueule de l'amour

J'ai vingt-six ans et je baise avec mon prof de littérature. *Fuck the system do it, do it, do it, do it yeah !* Ça a commencé hier, dans la chambre 714 du Holiday Inn rue Sherbrooke Ouest. Mon prof de littérature s'est couché sur moi et a inséré sa queue dans ma brèche puis il a bougé du bassin, des petits coups : pouc ! pouc ! pouc ! sans condom. Oui, ça s'est passé comme ça, à peu près comme ça, car il ne l'a pas insérée au complet, sa queue dans ma brèche, juste un peu, ça ne voulait pas, il était trop impressionné, et moi aussi, j'étais trop impressionnée, hé ! mon prof de littérature était couché sur moi et il m'écrasait de tout son poids, et il en a du poids, des tas de kilos en trop résultant de soupers et de beuveries de profs d'université, qui remplissent des demandes de subventions à n'en plus finir. Il m'écrasait de tout son poids et moi, j'osais à peine respirer, j'étais écrasée comme une vilaine sorcière, mais je ne voulais pas qu'il s'enlève, non, inconfortable, mais trop bien. C'était le plus beau jour de ma vie, le plus beau jour de ma vie aura duré neuf heures, c'est pas si mal.

Juste avant que mon prof de littérature insère sa queue dans ma brèche, je le regardais et je le trouvais tellement beau, après aussi je le trouvais beau, mais avant c'était particulier, c'était comme une nuit ensoleillée. Il est ce qu'il y a eu de mieux sur moi, mieux que tous les autres hommes qui ont bavé sur la pointe de mes seins, qui ont pétri mes fesses à m'en faire des bleus, qui ont laissé leurs poils dans les draps blancs de mon lit mort et que, dans mes souvenirs, je finis toujours par confondre, car ils ont eu si peu d'importance. Oui, mon prof de littérature est ce qu'il y a eu de mieux sur moi, même s'il a un gros ventre, un gros nez avec des petits poils dessus, la peau plissée dans le cou et qu'il est marié à temps plein, marié jusqu'aux oreilles. Je n'arrivais pas à décrocher mes yeux de lui, de lui et son visage, de lui et ses cheveux blond cendré sale parsemés de mèches grises, de lui et son grain de beauté sur la joue gauche, de lui et ses yeux surtout, ses yeux bleu neige qui font fondre ma carapace. Je le regardais et j'avais l'impression qu'il avait mon âge, vingt-six ans. Il n'était plus l'homme public que tout le monde connaît et respecte, celui qui doit s'arrêter à tous les stands du Salon du livre, car tout le monde veut lui serrer la main. Il n'était plus professeur de poésie ; un prof assez rigide qui n'en laisse jamais passer et qui donne des A+ presque uniquement sous la torture. Il n'était plus poète ni spécialiste de Kakfa. Il n'était même plus tchèque. En fait, il n'avait plus d'identité, c'était moi, sa carte d'identité, son passeport pour l'amour, c'est cliché en crisse ça, mais l'amour me rend épaisse, il me donne l'impression de vivre dans *La Mélodie du bonheur* au moins dix minutes par jour, le reste du temps, je suis plutôt dans la maladie du bonheur, je suis atteinte d'une espèce de gonorrhée de l'âme, incurable, qui me fait voir la vie comme une grosse infection, brun noir, purulente. Mon prof de littérature était juste là au-dessus de moi, le visage éclairé par les reflets de la ville, oui, juste là, nu avec ses mains qui fouillaient l'intérieur de mon corps, ses doigts entraient dans tous les trous qu'ils trouvaient, pénétraient la brèche, mon prof de littérature tentait d'entrer dans mon gouffre pour mieux chuter. Il voulait connaître ma géographie, maintenant qu'il connaissait ma littérature. Il sait que même les continents ont besoin d'être réparés, que même la pluie a besoin d'être remodelée, et que j'ai la chatte sur l'épaule. Il a dû penser que j'étais réelle parce que je goûte presque réel, c'est pour ça qu'il s'est mis en tête de se coucher sur moi ici dans la chambre 714 du Holiday Inn et d'insérer sa queue dans ma brèche.

* * *

Le temps n'allait pas assez rapidement, les semaines contenaient huit jours, les journées cinquante heures, les mois, ça ne se dit pas. J'écrivais en un temps record mon mémoire sur Baudelaire, *L'Enfer des amants dans les Fleurs du mal*, je voulais tellement mettre ma langue dans la bouche de mon prof de littérature, j'étais prête à travailler non-stop du matin au soir pour ça. Je me disais quand je vais avoir fini, il va se passer quelque chose entre nous, c'est sûr, il va mettre sa main sur ma cuisse, puis en dessous de ma jupe, me sucer le lobe de l'oreille et faire des cercles avec son doigt dans ma brèche, des cercles et des cercles, c'est sûr, il me regarde trop d'une drôle de façon pour que ça n'arrive pas, et toutes ces invitations, ces bières dans des petits bars branchés, ces soupers au resto, ces films qu'on voit ensemble, côte à côte dans les salles noires de cinéma, les bras ballants, non, c'est sûr, il va se passer quelque chose. Et je suis jeune et je suis attirante avec mes grands yeux de biche abandonnée, sûrement mille fois plus attirante que sa vieille femme qui lui a donné trois enfants et qui doit sûrement avoir les cuisses et le ventre couverts de varices, il va craquer, il va faire comme tous les autres profs en mal de chair fraîche qui se tapent leurs petites étudiantes en leur demandant *T'a veux-tu, ta bonne note*, même si c'est un homme de principes, il va me laisser lui infliger des sévices sexuels, à son éthique, il va craquer.

Finalement, la semaine dernière, au petit bar Else's, alors que je venais de lui remettre la troisième version de mon mémoire, la version finale écrite en quatre jours, mon prof de littérature m'a tendu la perche :

— Comment ça se fait que je ne t'ai jamais sauté dessus dans un coin noir ?

Puis il a regardé son verre, la table, le plancher, les gens, les bougies éparpillées un peu partout dans le bar, encore la table, encore le plancher.

— Je dois avoir un gros surmoi.

Il regardait ailleurs pour ne pas que je sois là. Et moi, j'étais assise à côté de lui avec mes idées qui me venaient comme des éclairs, des farandoles dans la tête, je ne savais pas quoi dire pour qu'il se passe quelque chose là, à l'instant, je ne savais pas comment faire pour m'approcher, le toucher, lui foutre ma langue dans la bouche. Quand nous sommes sortis du bar, j'ai bien essayé : *Tchéky, j'ai envie ! Je vais faire pipi dans une ruelle, tu m'accompagnes ?* Faire pipi dans une ruelle, je me disais, ça facilite les rapprochements, il fait noir et, en entendant le bruit de mon urine sur l'asphalte, en s'imaginant que je suis accroupie à quelques pas de lui la jupe en tas au-dessus de la taille et la petite culotte baissée, la brèche à l'air, il va peut-être s'exciter et, une fois qu'il n'entendra plus le bruit de mon urine sur l'asphalte, il va se retourner, s'approcher, me prendre par les mains et me relever, la jupe en tas au-dessus de la taille et les petites culottes baissées, pour m'embrasser et mettre sa main sur ma brèche. J'ai des drôles d'idées. Mais lui, le con de Tchèque, m'a dit d'aller dans le bar, puisque nous étions encore à côté. Et tout au long du trajet pendant qu'il me reconduisait dans sa Hyundai familiale quatre portes, je me demandais, est-ce que je lui fais le coup du mal de cœur, *Arrête ton auto, je ne me sens pas bien* et, une fois l'auto immobilisée, mon visage collé sur le sien, la bouche grande ouverte, je fends ses lèvres avec ma langue, mais j'étais incapable de dire un mot, j'avais comme une enclume dans l'estomac qui m'empêchait de parler, l'enclume qui tombe toujours sur la tête du coyote dans *Road Runner*.

Lorsqu'on est arrivés devant mon bloc de mille étages et qu'il était sur le point de repartir, je lui ai sauté à la bouche, un aimant, le temps s'est figé, ma bouche ne voulait plus décoller de sa bouche, trente secondes au moins comme ça, nos lèvres soudées. Puis il a compris ce qui était en train de se passer, il a compris que j'étais en train de lui faire une réforme scolaire dans la bouche, il a aimé, sa langue s'est enfoncée dans mon palais pendant que sa main droite tenait solidement mes mâchoires et que sa main gauche fouillait dans mon chandail.

Une semaine déjà, une semaine entre ça et l'hôtel, ça va vite, mais pas assez vite, car je suis encore son étudiante, il peut corriger ma peau avec son crayon rouge, il peut écrire *C'est bien* ou *Ce n'est pas bien*, il peut aussi écrire *Je veux te revoir* ou *Je ne veux plus te revoir.* Je ne veux pas que ça arrive, la pilule serait trop dure à avaler, parce que j'ai été moi-même devant lui, j'ai arraché mes couches de maquillage devant lui, il a décoché un regard de côté et m'a vue, un petit clown sans nez rouge. Pourtant, je le fais rire, je suis la fille qui le fait le plus rire au monde, je suis la fille drôle qui prend des ouvre-boîtes pour des tire-bouchons, la fille gauche, qui renverse tout sur son passage et qui prépare du pâté chinois si dur qu'il casse les dents, la fille comique qui raconte des niaiseries à tout bout de champ parce qu'elle ne sait pas comment faire avec la vie autrement, ouais, la fille drôle, le petit cadeau qu'on peut apporter chez soi et laisser au fond d'un placard, je suis la tristesse faite clown.

Hier, mon prof de littérature était couché sur moi pour la première fois et aujourd'hui, mon corps fait des free games, ma bouche et mon corps, et mon cerveau aussi. Tchéky habite toutes mes pensées et tous les objets qui m'entourent, il habite tout, un pot de mayonnaise et c'est lui que je vois, une fleur et c'est encore lui, j'ouvre la télé, on parle des tranches Single de Kraft et c'est encore et toujours lui que j'ai en tête, toutes les chansons me ramènent à lui, toutes les émissions de télé aussi, tout, tout, tout. Ça doit être à cause de ce qu'on s'est écrit sur le drap à l'hôtel : *Tu m'aspires.* Je lui ai répondu : *Je voudrais être tout ce que tu veux quand tu le veux.* Et aussi : *Je suis amoureuse de toi.* Il a écrit : *Moi aussi, me too, da, nanana.* Ma psy m'a dit qu'être amoureux à cinquante-six ans, ce n'est pas la même chose qu'à mon âge, vingt-six ans, elle m'a aussi dit qu'il allait me bousiller le psychisme. Il est mon père, d'ailleurs, c'est ce qu'il pense, *Si je te pénètre, j'ai peur de briser les petits cristaux à l'intérieur de toi. C'est de l'inceste, j'ai l'impression.* Mon père est mon prof de littérature. *Fuck the system do it, do it, do it, do it yeah !* J'ai vingt-six ans et je baise avec mon prof de littérature. *Fuck the system do it, do it, do it, do it yeah !*

* * *

Ça fait un an que j'ai envie de mon prof de littérature, un an à trimbaler mon envie de lui dans les corridors et les salles de cours de l'université, dans mon quatre-et-demi dans mon bloc de mille étages, dans les rues de Montréal, chez mes amis, dans les magasins, dans les clubs vidéos, à l'épicerie, un an à ravaler ma grosse envie de toute sa personne dans mon ventre. Depuis la première fois que je suis entrée dans son bureau et que je lui ai dit : *Pourriez-vous-tu m'aider ? Est-ce que vous, tu, toi, nous, ils, voudriez être mon directeur de maîtrise ?*, j'ai eu envie de lui, même si j'étais tellement gênée, avec les deux premiers chapitres de mon essai *L'Enfer des amants dans les Fleurs du mal*, qui pendaient mollement entre mes mains, deux linguinis trop cuits. Pas une envie que de faire l'amour avec lui, non, une envie de lui tout entier; l'avoir à mes côtés pour toujours, l'homme de ma vie en quelque sorte. Je ne sais pas pourquoi lui et pas un autre, peut-être est-ce à cause de sa manière de prononcer les *k* en mettant de l'écho? Ou est-ce sa manière de cligner des paupières qui m'a attirée? Il cligne des paupières au ralenti, comme s'il était en slow motion, il me donne l'envie d'être un sous-titre dans sa vie, peut-être est-ce à cause de ça qu'il a commencé à m'obséder? Lui, le premier homme qui m'écoute vraiment, enfin, qui écoute ma voix à travers ce que j'écris, qui entend et excite les brèches dans mon récit. Je ne sais pas pourquoi lui, avec ses petites mains rondes d'intello, lui qui l'a eu si facile, qui n'a jamais eu besoin de s'écorcher les paumes et les doigts sur des besognes disgracieuses pour gagner sa vie, et je ne sais pas non plus pourquoi je l'ai choisi pour être mon directeur de maîtrise, après tout, même s'il est poète, il ne s'intéresse qu'à Kafka alors que moi, j'écris sur Baudelaire. Peut-être ai-je senti à travers ses yeux bleus qui se sont posés sur moi une fraction de seconde dans un corridor de l'université qu'il aurait de l'intérêt pour moi et mon histoire de fille qui a eu une enfance de coquerelle, sale, à gruger des miettes? Je ne sais pas, mais je sais cependant que j'avais déjà une grosse envie de lui que je traînais derrière moi comme un boulet et pourtant, chaque fois que je le voyais, je restais à ma place, bien sagement à ma place, j'essayais de ne rien laisser paraître, oui, bien sagement à ma place avec mes petits cheveux blonds ramenés derrière mes oreilles, un visage candide, pas de faux gestes, pas d'habillement sexy, pas de ma main sur sa cuisse, sur sa hanche, non, je ne suis pas comme ça. Pas d'invitation non plus, les invitations, c'était toujours lui qui les faisait : *Ah ! Je suis lessivé ! Veux-tu venir prendre une bière avec moi, Émilie-Kiki ? Ah ! J'ai faim ! Veux-tu qu'on aille manger, Émilie-Kiki ? Ah ! J'ai trop travaillé ! Veux-tu qu'on aille au cinéma, Émilie-Kiki ?* Moi, je me contentais d'accepter toutes ses invitations et de lui faire des sourires pour l'attirer, des sourires et des lapsus aussi : *C'est correct, tu peux me rentrer dedans !* pour un chapitre dont je n'étais pas certaine. Et je me dépêchais de finir les chapitres de mon essai pour le rencontrer, une heure dans son bureau à parler de lui, car il me parlait de lui à cette époque, il était son sujet de discussion préféré à cette époque et il avait trouvé l'auditrice rêvée. J'étais déjà folle à lier de lui et je l'écoutais bien attentivement avec mes deux oreilles, des oreilles de Dumbo l'éléphant pour ne rien rater. Il fermait la porte de son petit bureau d'université et il me gardait une heure, même si d'autres étudiants attendaient et pestaient dans le corridor devant la porte fermée, pour me raconter comment il avait commencé à enseigner, comment il s'était découvert une passion pour Kafka, pour Kafka et *Le Château*, pour Kafka et *La Métamorphose*, pour Kafka et *Le Procès*, comment il avait écrit tel et tel recueil de poésie et moi, je l'écoutais et je bavais, oui, je bavais, mais ça ne paraissait pas, je passais constamment les manches de mon chandail devant ma bouche. Quand il était à côté de moi, je ne savais même plus comment avaler, c'était à ce point ; ce l'est toujours, juste de penser à son nom, Tchéky K., et je bave, juste d'entendre parler de lui et je deviens mal, une vraie groupie, je suis folle à lier de lui.

* * *

Hier, je l'ai revu et je me sentais terriblement groupie, pour peu, je me serais promenée avec un chandail à son effigie et j'aurais distribué des macarons montrant sa bouille de Tchèque au coin des rues, oui, groupie, mais mal aussi. On s'est donné rendez-vous à une heure au resto Le Porto, rendez-vous à une heure, en bas de l'endroit où je suis née, tout se rapporte à moi, je suis le nombril du monde mais, aujourd'hui, j'ai le nombril du monde qui me fait mal, je l'ai revu hier, c'est pour ça. J'ai marché vers lui, mais j'ai fait semblant de ne pas le voir, jeux de séduction, jeux de mains, jeux de vilains, jeux de crétins. Je suis entrée tout de suite au Porto, mais c'était comble, je suis ressortie, mon prof de littérature était là, j'ai fait la fille surprise, très mauvaise comédienne. Lui, il était souriant et nerveux, plus nerveux que je ne l'avais jamais vu, ses yeux brillaient, sa main a touché mon dos, il avait besoin de me toucher, j'avais besoin qu'il me touche, j'avais besoin de sa main dans mon dos, là, précisément à ce moment-là, j'étais tellement mal, et ce silence entre nous dans la rue Ontario. J'étais sur le point de me mettre à baver énormément lorsqu'il a dit : *Il faut que je prenne une bouchée.* Nous sommes allés au Palais Montcalm où il a pris sa bouchée, un gros club sandwich avec un coke diète, moi, je n'ai rien pris, je n'avais pas faim, il y avait quelque chose qui m'emplissait, comme une boule dans mon ventre, une boule en pleine formation. De toute façon, il y avait trop d'eau dans ma bouche pour que je puisse y mettre quelque chose : encore mon foutu problème de bave. Ensuite, il a loué une chambre à l'hôtel Le Cythère de la rue Sherbrooke, une chambre à quarante-cinq dollars pour quatre heures, et c'est là que j'ai entendu les gargouillis dans son ventre, j'ai entendu sa digestion, pendant que moi, je tentais de digérer ce qu'il venait de me redire : *J'ai l'impression que c'est de l'inceste.* Pourtant, on venait à peine de se dévorer, dès la porte fermée, avec nos manteaux sur le dos, on s'était dévorés, la bouche grande ouverte, juste un peu avant, et une fois nus, on continuait toujours de se dévorer, la bouche grande ouverte. Ça faisait une semaine qu'on ne s'était pas touchés, une semaine depuis qu'il s'était couché nu sur moi et qu'il avait inséré pour une première fois sa queue dans ma brèche, une semaine, ça donne faim, ça donne envie d'enfreindre les lois et de croquer dans la pomme interdite, pourtant elle était loin d'être interdite, la pomme, et je le lui ai dit : *Mais Tchéky, tu n'es pas mon père.* Encore une fois, il n'a pu donner que de très petits coups de bassin : pouc ! pouc ! pouc ! sans condom, ça ne voulait pas. Puis, en essayant de camoufler son malaise, il s'est rhabillé en vitesse, j'ai fait pareil et on est allés dans un resto de pâtes dans le quartier gai. Devant son plat de pâtes aux funghis, il était mal, je le savais, devant mon plat de pâtes aux funghis, moi aussi, j'étais mal, très mal, et le vin rouge, pour une fois, ne m'était d'aucun secours, j'avais tellement peur qu'il ne veuille plus jamais me revoir, tellement peur de ne plus sentir sa langue dans ma bouche, son torse nu sur mes seins, son doigt qui fait des cercles dans ma brèche. Quand on s'est quittés, j'avais beaucoup de peine, je me suis couchée dans mon nombril du monde et j'ai pleuré, mais mes larmes n'ont pas eu assez d'yeux pour extirper sa peur de mon ventre, sa peur à lui, peur d'être mon père.

* * *

Je lui ferais prendre des amphétamines, moi, au tic tac de l'horloge tellement le temps ne passe pas rapidement, pas assez. Entre chaque rendez-vous, entre chaque fois où on peut se coucher nus et lécher nos peaux dans le lit d'une chambre d'hôtel, nous avons une relation par téléphone. Alors, pour que ça passe plus vite et pour avoir moins mal dans mon ventre, entre chaque rendez-vous, j'écris mon journal, c'est ma béquille, parce que cette histoire est trop grosse pour moi, c'est une histoire au-dessus de mes moyens, alors pour m'aider, me fortifier, me rassurer, j'écris l'histoire de ma relation avec mon prof de littérature. Et il sait que j'écris tout ce qu'on fait, tout ce qu'on se dit, il boit un verre de jus d'orange, il tombe dans la rue au coin de Sainte-Catherine et Sanguinet, il perd sa Hyundai familiale quatre portes quelque part rue Rivard, il sait que je peux l'écrire, il le sait depuis la première fois dans la chambre 714 du Holiday Inn, au pied du lit, assis tous les deux, juste avant qu'il insère sa queue dans ma brèche, je lui avais dit que j'avais envie d'écrire notre histoire, que j'avais envie de me transformer en écrivain de la pire espèce, en cannibale de l'âme, en timbrée qui s'amuse à mélanger la réalité à la fiction au point de ne plus savoir ce qui est vrai et ce qui est faux, ce qui est bien et ce qui est mal. Cette fois-là, dans la chambre d'hôtel, il m'avait dit qu'il était prêt à prendre le risque, c'est ce qu'on dit, je présume, quand on est sur le point d'insérer sa queue dans la brèche d'un petit pétard blond.

Quand je ne suis pas en train d'écrire l'histoire de ma relation avec mon prof de littérature, j'attends ses appels, à vrai dire, j'attends constamment ses appels dans lesquels il me dira de venir le rejoindre à tel endroit à telle heure, de me déshabiller, de prendre une douche et de l'attendre couchée nue sur le lit, les jambes grandes ouvertes, la brèche bien en vue. Entre chaque attente, ma peur qu'il ne s'intéresse plus à moi, que je ne sois qu'une amourette passagère avec une étudiante, une amourette qui ne sert qu'à rehausser l'ego qui commence à être plat à cause des obligations et des cheveux gris qui prennent de plus en plus de place, s'emballe, prend le contrôle de ma vie, de ma tête, de mes mains. Sinon il m'arrive aussi de l'appeler, il m'a donné l'horaire des moments où il est seul chez lui, son horaire que j'ai presque fait laminer. Alors, chaque fois que je peux, que je sais qu'il est seul, que sa femme qui doit être laide comme une scène de carnage dans un film d'horreur est partie travailler dans sa grosse banque capitaliste et que ses enfants sont à l'école, je l'appelle et je lui demande toutes sortes d'affaires afin de le garder le plus longtemps possible à l'appareil, toutes sortes d'affaires comme des trucs sur le subjonctif présent, passé, des poètes présents, passés, mais surtout où il en est rendu dans sa tête à propos de moi, présent, futur, et mes appels se terminent toujours par la même sempiternelle phrase : *Tchéky, est-ce que tu t'es désintoxiqué de moi ?*

Toujours la même putain de phrase : *Tchéky, est-ce que tu t'es désintoxiqué de moi ?*

Pendue à mon fil de téléphone, les deux jambes dans le vide :

— Est-ce que c'est correct que je pense à toi ?

— Ce n'est pas à moi de répondre à cette question.

Le fil du téléphone s'enroule autour de mon cou et me coupe le souffle, je n'ai plus de place pour respirer, tous les tuyaux sont trop étroits, sa réponse est une interdiction de ne pas m'inquiéter, les contours de ma voix se meurent.

— Tchéky, est-ce que tu t'es désintoxiqué de moi ?

— Non.

Mon gros chat jaune passe.

— Je pense à toi, dit-il.

Il raccroche.

Je tombe sur mes genoux qui à leur tour me laissent tomber sur le sol, dans les miettes de Rice Crispies. Qu'est-ce que je suis tragique ! Mais il y a de quoi être tragique, surtout quand on joue dans son complexe d'Œdipe à tout bout de champ et qu'on suce son père patenté, surtout quand on ne sait pas quand sera la prochaine représentation, parce qu'avec lui, je ne sais jamais quand sera la prochaine fois, je ne sais jamais quand sa bouche touchera ma bouche, quand ses dents toucheront mes dents, je ne sais jamais quand il me donnera un peu de lui pour que je vive, écrive, vive, écrive. Son silence est tellement bruyant en moi qu'il m'empêche d'entendre les autres, en particulier ma psy : *Il va vous bousiller le psychisme*, me dit-elle en me tenant les deux mains serrées et en me regardant droit dans les yeux. Professionnellement, il est mon prof de littérature, physiquement, il est mon amant, symboliquement, il est mon père, *Fuck the system do it, do it, do it, do it yeah !*

* * *

Depuis que je fréquente Tchéky K. d'une manière plus intime, que je vois son gros ventre mou et sa queue endormie sur un nid de poils blond cendré et gris, que je mets sa queue dans ma bouche pour l'aider à devenir dure, que je le laisse boire le liquide qui sort de ma brèche, et que je suis obsédée par lui à n'en plus dormir, à ne plus penser à autre chose qu'à ses cheveux blond cendré sale dans mes yeux, j'ai une boule d'angoisse dans le ventre, une boule énorme qui m'empêche de respirer correctement. Et depuis quelque temps, cette boule grossit et grossit, une pastèque dans les poumons, si bien qu'elle semble absorber ma salive, je n'ai plus d'eau dans la bouche, je ne bave plus. Peut-être que ma bave s'est durcie pour former cette boule? D'une certaine manière, c'est pratique, je n'ai plus à m'essuyer tout le temps; mais d'une autre, c'est terrible, car j'ai beaucoup de difficulté à respirer. J'ai toujours peur de dire quelque chose de trop, quelque chose qu'il n'aimerait pas, et qu'il ne veuille plus me revoir, alors je suis incapable de parler, incapable de lui dire que j'ai peur de le perdre comme je n'ai jamais eu peur de perdre quelqu'un, non, je suis incapable de le lui dire, ma boule d'angoisse, je la garde pour moi, et elle me fait un ventre tout rond.

Aujourd'hui, mon ventre est encore plus rond, car ma boule d'angoisse en a pris plein la gueule, j'ai fait une gaffe au téléphone, une gaffe. J'ai appelé mon prof de littérature comme d'habitude pour lui poser une question de grammaire, genre combien y a-t-il de *f* dans poignée de porte? une question insignifiante pour lui signifier que j'existe toujours et qu'il ne m'oublie surtout pas, un subterfuge pour accaparer son attention comme les enfants qui laissent traîner leurs fringues partout dans la maison, *Maman, pense à moi pendant que je serai à l'école*, une question pour qu'il s'occupe de moi, qu'il pense à ma petite personne, une trace de moi dans sa vie. Mais voilà, j'ai lâché cette phrase :

— Tchéky, tu as l'âge que ma mère folle à lier aurait si elle était en vie.

Je le sais que ça lui a fait quelque chose, je l'ai senti dans sa respiration quand il a répondu, un souffle long d'exaspération, je l'ai senti même s'il n'a pas répondu grand-chose, mon prof de littérature ne parle pas, presque pas, il ne dit que des choses vagues un peu poétiques qui laissent la place à l'imagination, des paroles trop vagues qui laissent trop de place à mon inquiétude. Il ne dit pas qu'il m'aime ou qu'il ne m'aime pas, il ne dit pas si un jour il laissera sa femme, d'ailleurs il ne dit pas ce qu'il pense de sa femme, du corps de sa femme, de la bouche de sa femme sur sa queue, du trou de sa femme qui doit être rempli de pertes vaginales jaunâtres, il ne dit pas ce qu'il fait avec moi non plus, s'il me baise ou s'il me fait l'amour, il ne dit pas ce qu'il cherche chez moi, ce qu'il veut de moi, non, il ne dit rien que des paroles vagues, mais j'arrive quand même à percevoir que parfois ça ne va pas, comme là.

— Oui, j'ai l'âge de ta mère, a-t-il laissé tomber.

— Non, Tchéky, il ne faut pas recommencer avec ça, il ne faut pas que l'on parle de ton âge et du mien, il ne faut pas, c'est un terrain miné toujours prêt à nous exploser dans la figure. Pouf!

Il ne faut pas recommencer avec ça et, pourtant, c'est toujours moi qui ramène le sujet : le sujet de l'âge, le sujet du père. On a trente ans de différence, et lui, ça le dérange, *Tu as beaucoup plus d'énergie que moi, je ne peux pas te suivre. À mon âge, je n'ai pas le goût de traîner dans les discothèques. Dans quatre ans, j'aurai soixante ans, et toi, trente ans, que feras-tu de moi? Je serai inintéressant pour toi, un vieux chnoque encombrant. Tu vas voir, un jour, tu vas rencontrer quelqu'un de ton âge, un beau jeune homme svelte, pas de gros ventre, qui pourra bander trois fois de suite*, et il continue à m'assassiner avec ses histoires de vieux croûton, sans comprendre que moi, je l'aime, son gros ventre, j'aime ça rouler dessus quand on est couchés nus dans un lit, après ou avant l'amour, et je me fous de son âge. Je le sais, qu'il est vieux, qu'à partir de neuf heures il cogne des clous et que, si je veux aller danser avec lui, il faudra qu'on aille à des fins de rave à huit heures le matin, je le sais, que lorsqu'il boit plus de deux verres de porto il a l'estomac barbouillé pour deux jours, que lorsqu'il voit quelqu'un de la télé, Pierre Bruneau, par exemple, il écarquille les yeux et lève les mains comme s'il venait d'apercevoir une vieille connaissance avec qui il a trait les vaches et les poules, alors qu'il s'agit seulement du gars qui lit le bulletin de nouvelles à six heures, je sais aussi que, s'il veut lire le menu, il doit à tout prix enfiler ses lunettes à double foyer qui lui donnent des allures d'aquarium, et que la forme de son ventre et de son bassin ressemble plus à celle de Humpty Dumpty qu'à un triangle parfait. Oui, je sais tout ça, mais je me fous qu'il ait cinquante-six ans, je serais même prête à lui changer la couche, à mon prof de littérature, c'est à ce point. Moi, mon amour est sans limite, mais lui, son amour a des limites : trente ans de différence, l'âge,ça compte pour lui, ça et cette idée qu'il est mon père substitut, et j'ai beaucoup de misère à lui enlever ça de la tête. J'ai bien essayé pourtant.

— Non, Tchéky, tu n'es pas mon père, je n'ai pas de père.

Ça n'a pas marché, mais je sais que j'aurais dû lui dire : *Tu n'es pas mon père, Tchéky, j'ai déjà un père, un père qui fait des vols de banque, un père qui pense que je suis sur l'acide parce que mes mots sonnent faux, mes verbes trahissent la bullshit des rapports familiaux*, j'aurais dû lui dire ça, mais j'ai laissé le terrain vacant. À vrai dire, ça fait mon affaire qu'il se prenne pour mon père, j'aime bien, moi, cette idée d'inceste, de père qui enfile sa fille en cachette dans des chambres d'hôtel à quarante-cinq dollars pour quatre heures, de père qui dit à sa fille de se mettre à quatre pattes et de bomber le derrière comme une chatte en chaleur, ça crée un lien important entre nous, ça rend l'amour inconditionnel, et j'aime ça, l'amour inconditionnel, j'en veux à la tonne même. Moi, je veux un père qui me protège, me rassure, me dorlote, me prend dans ses bras, me berce, qui met sa langue dans ma bouche et ses doigts dans ma brèche. Je veux un père qui me désire, me pénètre jusque dans les yeux, se suce à travers moi et suce aussi toute la pourriture qui m'entoure, je veux tout ça, mais je veux par-dessus tout le revoir. Je ne sais pas quand sera la prochaine fois, je le lui ai demandé, mais il ne m'a pas dit quand. Là, je me sens mal, j'ai l'impression que mes gestes font la grève, que mes pensées sont des avions d'ennui nolisés en direction de ma chambre. Bon, la tragédienne de service revient! Ah! Comme la neige a neigé! Ah! comme mon chat jaune a engraissé! Ah! comme ma boule d'angoisse a grossi! Ah! Comme je voudrais qu'on se voie vite vite, j'ai hâte qu'il joue dans le blond de mon dos, j'ai hâte qu'il se couche sur ma figure, j'ai hâte qu'il sorte son clown du placard.

* * *

Les choses se tassent, *Pomme de reinette et pomme d'api*, ma boule d'angoisse semble calmée, les choses se tassent, mon ventre est plat, c'est plus calme, j'ai revu mon prof de littérature, c'est pour ça. Aujourd'hui, je l'ai revu, vu, son visage, son cou, ses lèvres gercées pas assez embrassées, ses mains, son doigt à l'anneau d'argent que je voulais sucer, je l'ai revu, j'aime le dire. Le rendez-vous fut plus rapproché que je ne l'aurais cru, au lieu d'une seule fois comme toutes les semaines depuis le début de notre histoire, j'ai eu droit à deux, heureusement, car je ne savais plus quoi faire de mon incohérence. Là, c'est plus calme dans ma tête, même mon salon m'est familier, même ma cuisine me rappelle quelque chose, je suis en terrain connu, enfin, je suis un peu la reine de ma putain d'existence, mais je sais que la peur m'observe, elle m'observe peut-être un peu comme lui m'observait chez lui cet après-midi, moi, couchée sur sa table en chêne, la chemise déboutonnée, le soutien-gorge baissé qui ramenait mes seins ensemble, durs, les mamelons qui pointaient vers le plafond, pendant qu'il dessinait des cercles avec sa langue autour de mon nombril. Table d'observation pour me disséquer, table de correction pour me raturer, me barbouiller, le visage éclairé par l'écran de l'ordinateur, le visage couvert de mots, de mes mots. Il m'aidait à corriger un article archi compliqué pour une revue d'art, un article parmi les milliers que j'écris pour payer mes études; mes articles qui un jour l'ont fait s'exclamer : *Ton écriture est tellement vivante, tu es une journaliste, mais tu es encore plus un écrivain, tu es un écrivain, tu es un écrivain. Je crois en toi, m'entends-tu, Kiki? Je crois en toi.*

Aujourd'hui, j'étais chez lui, à midi, dans sa maison du Plateau Mont-Royal, sa si belle maison de la rue Brébeuf, sa femme, qui doit sûrement se maquiller comme un chapiteau de cirque, et ses trois enfants étaient absents. Ce n'était pas la première fois que j'y allais, non, la deuxième, deux jours avant que notre histoire commence, j'étais allée chez lui. Il m'avait demandé de venir lui porter je ne sais plus quels livres, peut-être de Benjamin, Sartre ou Bonnefoy, dont il avait besoin de toute urgence. Il était seul, on avait bu une bière et il m'avait montré des photos de voyage, son appartement en Floride, les plages en Floride, les ballons vert, blanc, rouge sur les plages en Floride, mais pas de photos de sa femme, les photos avaient été savamment triées. Et aujourd'hui, j'ai encore cherché des photos de sa femme en jetant des coups d'œil à la dérobée, mais je n'ai rien vu, rien, et pourtant, merde! que je veux voir qui est l'autre dans sa vie, me comparer à elle, m'assurer que je brille de mille feux à côté d'elle et qu'il va s'écœurer de son visage qui doit sûrement être ignoble et de son corps flétri, qu'il va préférer finir ses jours sur le rose de mes joues, sa main sur ma brèche de jeunesse. Non, je n'ai pas vu de photo de sa femme ni la fois précédente ni aujourd'hui, il faut dire qu'on était pas mal occupés, cet après-midi, quand il ne dessinait pas des cercles avec sa bave autour de mon nombril, il m'aidait à corriger mon article. Dans son bureau, j'étais appuyée sur des dessins d'enfants, *Je t'aime, papa! Frédérick, 5 ans*, j'étais comme sur des charbons ardents. Quand mon prof de littérature ne me touchait pas, la souris d'ordinateur excitait mes nerfs, j'avais l'impression qu'il s'amusait à espacer les dialogues, il était trop occupé avec la maudite souris, et moi, je haïssais la maudite souris, je n'aime pas quand il est à côté de moi et qu'il s'occupe à autre chose, c'est comme du temps d'amour gaspillé, ça fait mal dans mon ventre et là, j'avais terriblement mal dans mon ventre avec ma boule qui grossissait.

J'avais tellement besoin qu'il me parle, qu'il me donne des mots, qu'il me dise qu'il m'aime, qu'il me trouve belle, qu'il me verrait bien toute nue en train de me verser du lait sur les seins, n'importe quoi, mais non, il restait silencieux, comme d'habitude, silencieux, sauf pour me dire qu'il manquait des virgules et des *s*. Durant ce temps, j'essayais de me réconforter en me chantant des chansons dans ma tête, *I won't let you fall apart. I won't let you fall apart. I won't let you fall apart.* Je me sentais minuscule et ridicule sur ma petite chaise pivotante, lui si immense sur sa grande chaise de prof de littérature, qui ne pivotait pas assez souvent vers moi, ses yeux bleus, tendres, rieurs, attirants ne se posaient pas assez souvent sur mon petit corps qui s'écoulait goutte à goutte, goutte à goutte, goutte à goutte. Et je me disais peut-être que les choses vont changer, lundi, je dépose officiellement mon mémoire sur *L'Enfer des amants dans les Fleurs du mal* au secrétariat, je ne serai plus son étudiante et amante, lundi, seulement son amante, alors peut-être qu'il me dira : *C'est possible enfin une vie à deux, tu n'es plus mon étudiante, je vais quitter ma femme et on va s'envoler sur un cheval blanc pour une vie merveilleuse où je te ferai l'amour sur toutes les plages ou dans tous les placards de la terre.* Je rêve en couleur, je sais, mais qu'est-ce que j'en ai à cirer, de la réalité ? Il y a le malheur dans la réalité, il y a l'aide sociale dans la réalité, il y a les gros maux de dents, les comptes à payer, les femmes afghanes qui se font lapider, les vieillards oubliés dans les hospices couchés dans leur urine et il y a lui marié jusqu'aux oreilles qui embrasse sa femme en rentrant de l'université, qui met peut-être son doigt dans le trou de sa femme tous les soirs avant de s'endormir alors que moi, j'ai la brèche qui pleure dans mon lit mort parce qu'il n'est pas là, tout ça ne se retrouve pas dans mes rêves en couleur de barbe à papa et de Calinours. Donc, je me disais lundi, alors que ce sera officiel, mon mémoire aura été déposé, peut-être que là, on pourra commencer une vie à deux où on n'aura plus besoin de se cacher comme des lépreux pour s'embrasser et se toucher dans les couloirs et les escaliers de l'université ni pour se tenir par la main dans la vie, même si ça ne fait que trois semaines que mon petit conte de fées a commencé, de toute façon, moi ça fait un an que je suis folle à lier de lui, il a du temps à rattraper.

Pendant que je me racontais ces histoires, quelque part où j'étais en train de choisir la tapisserie couverte de petits diamants pour notre future chambre à coucher, il a dit :

— Ma femme va bientôt arriver. Je t'amène chez toi.

Douche froide, des stalactites dans les yeux, j'étais complètement gelée, je me suis mise à trembler de partout jusque dans ma langue, comme si j'étais envahie par un froid ancestral, les glaciers de la préhistoire dans mes veines. Quand il est venu me reconduire, j'ai tenté une approche de notre avenir à deux.

— Qu'est-ce qu'on fera à partir de lundi, après le dépôt de mon mémoire ?

Il m'a répondu en rigolant qu'à partir de lundi, rien ne nous empêcherait de nous écrire par fax, e-mail, courrier, non, plutôt sur un drap d'hôtel aux mille et un miroirs de théâtre afin qu'on joue notre petite pièce en deux actes, se déshabiller, se toucher. Une réponse un peu poétique comme il en a l'habitude alors que j'avais tellement besoin de concret : *Tchéky K. aimer Émilie-Kiki.*

— J'aurais envie que tu m'écrases, Tchéky.

Dans l'auto, je souhaitais qu'il se répande sur moi, qu'il s'infiltre dans chacune de mes cellules.

— Allez, on se voit lundi et on fête le dépôt de ton mémoire.

Là, devant mon iMac rose dans mon bloc de mille étages, je repense à tout ce qu'il m'a dit, c'est-à-dire rien, et je m'inquiète. Mon corps s'agrippe à tous ses mots : *On se voit lundi*, pendant que mes yeux focalisent sur notre prochaine rencontre, lundi, je ne serai plus son étudiante, lundi, il m'attendra nu dans une chambre d'hôtel, alors que sa femme moche comme un vieux soulier et ses trois enfants l'attendront pour souper, bœuf à la K, une recette familiale transmise de belle-mère à belle-fille. Lundi, il m'attendra nu dans des draps blancs, la queue fraîchement lavée, au repos, endormie dans un nid de poils blond cendré sale et gris, et peut-être qu'en m'attendant, il flattera sa queue en pensant à ma bouche qui avale tout ou à son gros nez dans ma brèche. Je pense qu'en ce moment je sens quelque chose comme de la joie, parce que je sais quand sera notre prochaine fois, je sais quand à nouveau mes os toucheront ses os, quand à nouveau mon crâne touchera son crâne, lundi, midi, après le dépôt de mon mémoire. Oui, je sens quelque chose comme de la joie, mais saupoudrée de déception, je ne sais pas si notre histoire évoluera, si on pourra se tenir par la main par-delà le monde des chambres d'hôtel. En attendant, je porte la peau d'une zombie blonde, je porte sa peau et j'erre au son de Nine Inch Nails, une belle petite zombie blonde la brèche grande ouverte. *I won't let you fall apart.*

Le pire est que je serais incapable d'arrêter cette histoire virtuelle, une histoire Macintosh, qui parle de deux écrivains, *il était une fois un maestro de la poésie et sa ritournelle*, sa petite Kiki et sa brèche qui se meurt quand il n'y met pas les doigts. Je viens à peine d'entrer chez moi que je me morfonds dans mon salon, j'essaie donc de terminer un article pour passer le temps, même s'il est tard et que mes fenêtres ont sommeil, mais j'ai beaucoup de mal à me concentrer, je n'ai que lui en tête. Il faut que j'entende sa voix, quitte à ce que ce soit celle de son répondeur.

Bienvenue à l'Université de l'amour interdit. English will follow. Si vous connaissez le poste de la personne que vous désirez joindre, voir, embrasser, adorer, dorloter, aimer, baiser à vous noyer dans son intestin, sucer à lui faire éclater le cerveau, veuillez composer des numéros morts suivis d'un carré tout aussi mort. BIIIIIIIIIIIIIIIP !

Il faut que j'entende ta voix, Tchéky, quitte à ce que ce soit celle de ton répondeur, Tchéky, quitte à ce que je parle à une boîte de métal froid, Tchéky, quitte à ce que mon envie, mon besoin de ta peau soit capturé, enfermé, humilié dans une boîte de métal froid, Tchéky. De toute façon, ça fait des années que je conserve ma voix au fond de ma gorge, j'en ai assez pour te laisser mille messages, Tchéky, j'en ai assez pour réchauffer une boîte de métal froid, Tchéky.

Je raccroche et j'entends les pas de danse de ma solitude et de mes manques qui font la fête.

* * *

Je suis la maîtresse d'un homme marié et ça me tue, ça me sort les intestins et ça me les enroule autour du cou, ça me plante des piquets dans les yeux et dans les narines, ça fait la centrifugeuse sous ma peau, c'est très gros pour moi, trop, mes petits nerfs sont toujours sur le point d'éclater. Alors, pour continuer ma relation avec mon prof de littérature, je me raconte toutes sortes d'histoires, comme celle où je sais où je m'en vais, où je suis très forte, une espèce de Hulk de l'amour et où je peux passer à travers ce type de relation, où je suis au-dessus de ça. Après tout, ma psy me l'a dit que je suis un esprit résilient, résilient comme les matelas résilients qui ont des ressorts qui font rebondir, des matelas qui résistent au choc, je viens de l'enfer.

Quand ça devient trop heavy dans ma tête parce que je pense à mon homme marié et que j'ai l'impression de m'asseoir sur mes épaules pendant que tout se mêle et que j'ai la peau du visage qui s'étire jusqu'au plancher parce que je vois des images que je ne veux pas voir, des images de lui et sa femme qui s'en vont main dans la main le dimanche après-midi dans le Vieux-Montréal, lui et sa famille autour du sapin de Noël dans leur si belle maison de la rue Brébeuf à s'offrir des cadeaux à qui mieux mieux, lui en train de baiser avec sa femme, lui sur elle qui le regarde dans les yeux avec un sourire de connivence et qui lui crie *Encore! Encore! Mets-moi-la, ta queue, profond.* Quand, quand, quand ces images-là me martèlent les tympans à me péter la tête sur les murs, à avaler des tas d'anxiolytiques, je fais en sorte de m'occuper l'esprit. Je me force à louer des cassettes vidéo, dix, douze par semaine, du chef-d'œuvre tchèque au navet hollywoodien ; je me force à voir des amis, à voir des tas d'amis qui ont tous la même idée, me regarder accroupie au-dessus d'eux en train d'enfoncer leur queue dans ma brèche, lentement, lentement, puis fort, fort, je me force à lire et à relire des livres, surtout les siens : ses recueils de poésie et ses essais sur Kafka que je connais presque par cœur ; je me force aussi à aller marcher dans les rues et dans les ruelles noires la nuit avec l'espoir de me faire attaquer et violer par une bande de junkies qui ont perdu la tête et qui me défonceraient ensuite à coup de manche à balai ; bref, qu'il se passe quelque chose afin que je pense à autre chose qu'à lui, toujours à lui. Parfois il m'arrive de me couper les doigts sur le bord de feuilles volantes. La douleur m'occupe l'esprit quelques instants, toute mon attention est concentrée sur les petites gouttes de sang qui perlent sur le bout de mes doigts, mais Tchéky me manque tout le temps, tout le temps.

Hier soir, pour me changer les idées, je suis sortie avec des amis, René et Marielle, un clown, prof à l'université, et une tristesse. Un autre clown, mais pire que moi, maquillé et au sourire défait, qui a mis un bébé dans le ventre d'une étudiante qui s'est progressivement transformée en tristesse. Tous les trois, nous sommes allés dans le quartier gai, dans mon quartier depuis toujours, qui me fait sentir comme un géranium tellement je passe inaperçue parmi tous ces messieurs qui s'aiment entre eux. On est entrés tous les trois au SkyPub, et c'est là que j'ai remarqué que René s'était maquillé, un clown, que je dis, un clown dans le quartier gai, qui se croyait intéressant, séduisant, avec son rouge à lèvre qui lui découpait le visage en deux, une barre rouge entre les yeux et le menton, devant la tristesse qui le regardait, le ventre gros de sept mois, découragée. Lorsque le clown est allé aux toilettes, j'ai voulu dire à mon amie la tristesse que ce sont tous des fous, les profs d'université, des maudits fous, crisse ! mais comme d'habitude, je n'ai pas été capable de parler. Malheureusement, cette histoire m'a affectée, elle s'est installée dans ma tête, je me disais : *Merde, il n'y a pas moyen que je me change les idées, tous les profs d'université sont des osties de fuckés, des osties de pervers qui pensent détenir la science infuse parce qu'ils ont un doctorat, et parce qu'ils ne sont qu'une clique à pouvoir enseigner à l'université, installés confortablement dans leur convention collective, ils se racontent des histoires dans lesquelles ils sont les maîtres de l'univers donc ils ont le droit, si le cœur leur en dit, de se maquiller et de baiser toutes leurs étudiantes, les unes par-derrière les autres, toutes à genoux dans une salle de cours, le trou humide à l'air qui sourit sous les néons, trop contentes d'être pénétrées par la science infuse à leur tour.* Quand je suis rentrée chez moi, je n'ai pas cessé de pleurer, mais mes larmes n'ont pas réussi à me désinfecter.

Aujourd'hui, dans le bureau de ma psy, j'en ai gueulé un coup.

— On ne fait pas ça à une femme enceinte. On ne fait pas ça ! Se promener maquillé devant sa femme enceinte de sept mois ! Ça ne se fait pas, j'ai hurlé.

— Parlez-moi de votre naissance.

— Parler de ma naissance !

— Oui, de votre naissance ou de votre conception.

— Ma conception, dans ce cas. Un viol rue Wurtele, d'après ce qu'elle m'a raconté, ma mère folle à lier, un viol pour ne pas avoir à assumer l'envie de se faire tripoter, les vêtements déchirés, qu'elle m'a déjà dit, ma mère, une femme à qui la sensualité est refusée, qu'elle a essayé de me faire croire, ma mère. Et mes premiers mois, à moi ! *Ce n'est pas ma fille !* criait-elle sur tous les toits, ma mère.

Petite puce en plein milieu d'une cuisine sale remplie de coquerelles, *Ce n'est pas ma fille ! C'est la fille d'une autre !* et ses pleurs à ma mère, ses longs pleurs comme des guimauves au-dessus d'un feu de tristesse, *CE N'EST PAS MA FILLE ! J'AVAIS PRIS DES VALIUMS, CRISSE !*

Le temps passe, regardez la photo d'une petite princesse blonde dans les bras de son papa méchant, pas trop loin de sa mère folle à lier, Bonnie and Clyde. Ma mère folle à lier avait pris des Valiums, elle n'en avait pas assez pris, mais elle se reprendra, Valium, Luvox, Dalmane, Marilyn Monroe dans une autre cuisine sale remplie de coquerelles : *JE VOUS AIME TOUS !*, hurle-t-elle enveloppée dans une robe de chambre aux couleurs de malheur. J'ai appris à réparer les pots cassés, *Pomme de reinette et pomme d'api*, je peux tout recoller, j'écris, je peux me faire naître une famille toute neuve et gentille, pas compliquée, qui cuisine du pâté chinois. Mais j'attends quand même notre prochaine rencontre, lundi, à l'hôtel, alors que je ne serai plus son étudiante, les papiers auront été signés, je ne serai plus son étudiante, lundi.

En attendant, des appels trop courts. Aujourd'hui, Tchéky a à peine décroché l'appareil qu'il veut déjà raccrocher, il dit qu'il ne peut pas me parler, qu'il faut ABSOLUMENT qu'il appelle en République tchèque. Il parle du décalage horaire : six heures, dix heures, mille heures de trop.

— Bon ben euh... euh.... euh... Porte-toi bien.

— Rassure-moi.

— Porte-toi bien.

— Rassure-moi.

— Porte-toi bien.

Dès que je raccroche, des milliers de courants d'air s'emparent de mes yeux, je vois tout embrouillé, ça devient impossible, je deviens impossible. Le téléphone sonne, ce n'est pas Tchéky, le téléphone sonne encore, ce n'est toujours pas lui. J'aurais envie de briser le monde en quatre avec mon poing amoché, ma tendinite généralisée, j'aurais envie de m'arracher toutes les hormones qui s'emballent tout le temps quand j'entends son nom dans ma tête, Tchéky K., mais je concentre mes cellules nerveuses sur de petites activités : essuyer la bave qui a recommencé à couler de ma bouche, flatter le gros chat jaune, ramasser les papiers sales, laver le bol de toilette, mettre le feu à l'immeuble où j'habite. Je me dis, lundi, je le revois, je me le dis et me le redis, lundi. *Tell me why I don't like Mondays / Tell me why I don't like Mondays / Tell me why I don't like Mondays / I wanna shoooooot... The whole day down.* C'est lui que je vais shooter lundi dans la chambre d'hôtel, lundi, je vais le shooter, je suis trop écœurée d'être comme ça, accrochée, obsédée, morte quand ses yeux bleu neige ne sont pas sur moi, je vais le shooter, c'est juré ! Croix de bois, croix de fer. Si je mens, je vais en enfer !

* * *

Lundi, Tchéky ne m'a pas attendue à l'hôtel, il était quelque part à l'Université de l'amour caché, English will follow. Il est arrivé les cheveux blond cendré parsemés de mèches grises plus longs que jamais, les cheveux comme des rideaux de théâtre pour encadrer sa marche vers moi.

— J'aime ça quand une belle blonde m'attend devant

mon bureau, dit-il en voyant le bout de mon nez dans le corridor beige de l'université.

— Une belle blonde. N'importe laquelle ou celle avec des yeux verts gigantesques et la brèche ouverte ?

Il ne m'a pas répondu, s'est contenté de sourire. Ben oui, mon vieux croûton tchèque, une belle blonde, c'est moins engageant que MA belle blonde, une belle blonde, ça demande moins d'efforts de vocabulaire que MA belle blonde la bouche ouverte, qui a besoin d'être nourrie par des milliers d'attentions à cause de ses manques aussi gros que des piscines Citadelle, vieux croûton ! L'écho des pas d'autres professeurs s'est fait entendre, une armée de fantômes pour nous surveiller. Dès qu'on entre dans son bureau, sous le regard des dessins de ses enfants *Ceci est un portrait de monstres, Philippe, 10 ans*, et de Kafka, sa bouche prend la route de mes lèvres, pendant que ses doigts prennent la route de mes rêves, il veut dessiner son territoire, transgresser mes frontières, mettre un embargo sur mon cœur.

— Viens, Tchéky, on va continuer notre petite guerre dans un lit.

Encore une fois un hôtel, un autre hôtel, mais celui-là avec un frigo comme une fournaise, bruit infernal à chaque pas, comme chez ma grand-mère quand j'avais neuf ans et qu'elle hurlait dans le corridor et que sa voix prenait des proportions gigantesques à cause de la maudite fournaise : *ÉMILIE-KIKI, TU RENDS FOLLE TA MÈRE ! C'EST DE TA FAUTE SI ON DOIT TOUT LE TEMPS L'INTERNER !* Encore une fois, il est nu sur moi, moi qui ne suis plus son étudiante, j'ai déposé mon mémoire, encore une fois il m'écrase de tout son poids de prof d'université, pendant que je regarde son caleçon en tas sur le fauteuil, j'apprends à connaître la couleur de ses sous-vêtements, blanc, gris et encore gris. Notre petit roman continue, le roman d'un maestro de la poésie et de sa ritournelle. Comment ça va se terminer ? Comment ça va se passer pour moi ? Par *Ils se marièrent et eurent 1,4 enfant*, la moyenne au Québec, qui ne cesse de diminuer probablement parce que trop d'étudiantes baisent avec leurs profs mariés et vasectomisés ? Ou par un carnage ? Je vais le trucider, lui, et toute sa descendance pour les vingt prochaines générations, je vais trucider jusqu'à ses ancêtres ! Comment ça va finir ? Bien ? Mal ? Et si c'est mal, je n'aurai peut-être pas de réaction, après tout, il me prend pour un personnage, pour quelque chose d'irréel, une plante verte en plastique dans un pot, qu'on arrose quand même tous les jours. *Tu es un personnage*, dit-il souvent tout souriant comme s'il avait quatre ans et qu'on lui remettait une *Hot Wheels*. Oui, un beau petit personnage pour animer ses soirées canadiennes : *Swigne la baquaisse dans le fond de la boîte à bois !* une vraie André Lejeune. André Lejeune est le petit fils de Carl Jung, blague d'intello, sa blague préférée. En fait, dans notre couple illicite, je suis davantage une petite G.O., *Haut les mains ! Haut les mains ! Haut les mains ! Donne-moi ton corps ! Donne-moi, donne-moi ton corps !* La queue de mon prof de littérature s'enfonce dans ma bouche, pendant que sa main tient doucement puis solidement ma tête, ses doigts bien accrochés dans mes cheveux mêlés, et ça s'enfonce dans ma bouche, en fait, dans ma bouche, ça va, ailleurs, ça bloque. Il dit que c'est parce que je lui pose toujours cette foutue question juste avant l'acte : *Es-tu safe?* Mais c'est comme ça quand on ne met pas de condom, il faut que la confiance règne, le pire, c'est que je lui fais confiance à cent pour cent, je suis une vraie amoureuse, idiote, idiote, et lui, il n'est pas mieux que moi, idiot, idiot, il n'a pas compris que ma peur exacerbée du sida n'est en fait qu'une métaphore de ma peur d'être envahie, une métaphore comme « Un ciel à jeun », « J'avale la fenêtre qui pleure ». Et pourtant qu'est-ce que je voudrais qu'il m'envahisse, qu'il s'installe dans chacune de mes cellules pour de bon, qu'il prenne son bain dans mon sang. Dans mon cœur, il y a une pancarte sur laquelle est écrit « À vendre », « À louer », « À sous-louer », « Je te le donne », mais il ne comprend pas, se renfrogne et reste avec son problème technique, rien ne va. En plus, quelque chose s'est coincé dans sa tête depuis la première fois, depuis la première chambre d'hôtel éclairée par une croix sur une montagne, depuis qu'il a dit : *C'est de l'inceste, j'ai l'impression*, non, ce sont des histoires pour faire écrire, ce n'est pas de l'inceste, je ne suis pas sa fille, je ne suis pas la chair de sa chair ni le sang de son sang, je suis la fille d'une folle et d'un voleur de banques, pas d'un prof de littérature, je suis la fille qu'il doit aimer là, en ce moment, la fille couchée nue à côté de lui, les jambes ouvertes jusqu'aux oreilles, qu'il doit pénétrer, baiser, fourrer, enfiler à lui en défoncer le col de l'utérus, mais ça ne marche pas, sa queue ne veut pas de ma brèche, rebrousse chemin, se blottit sur elle-même, se met en petite boule. Et ma brèche mouille de moins en moins, s'irrite, est à vif, écorchée, rouge, rouge, mais on s'acharne, on essaye de nouveau, ma respiration devient celle d'un petit animal pendant que son visage se crispe, ça ne marche toujours pas. Et on essaie encore et encore, encore et encore, encore et encore, il devient rouge comme ma brèche à vif, ses vaisseaux sanguins sont sur le point d'éclater dans son visage ; dans quelques minutes, il aura l'air d'une petite brèche à vif couverte de vaisseaux sanguins éclatés.

Plus tard sur l'oreiller, on ne parle pas de ça, de ce qui ne veut pas, ne peut pas, non, il n'est pas du genre à me parler de choses comme ça, il est plutôt du genre à me parler de théories littéraires, de Meschonnic, de Labarthe, de styles d'écriture, de Rimbaud, de Verlaine, et de… et de... Mais là, c'est silencieux. Trop. Fuck ! Et moi, je ne sais pas parler, je ne sais pas quoi dire, il est mal et, parce qu'il est mal, je suis mal, je ne veux pas qu'il retourne chez lui ainsi et qu'il n'ait plus envie de me revoir, qu'il se dise *Au moins avec ma femme, je bande, mais avec cette petite garce, je n'y arrive pas, c'est de sa faute, elle n'est pas assez bandante, elle n'écarte pas assez les jambes, elle ne donne pas les bons coups de bassin au bon moment, ses formes ne sont pas assez confortables, elle est trop blanche, trop maigre, trop molle.* Alors je fais un ultime effort pour animer notre petite soirée canadienne, je lui demande la première chose qui me passe par la tête :

— Tchéky, est-ce que tu veux t'enfoncer avec moi ?

Bah ! Ça aurait pu être pire, j'aurais pu lui demander c'est comment quand il a la diarrhée, parce que, la plupart du temps, je ne pense qu'à des niaiseries, une vraie petite fille, ce n'est pas pour rien que je m'acharne dans mon complexe d'Œdipe. J'aurais aussi pu lui demander de quitter sa femme et de venir s'installer avec moi dans mon quatre-et-demi dans mon bloc de mille étages, non, ça je n'aurais pas pu, je suis incapable de lui dire pareille chose, même si c'est mon souhait le plus cher, je le voudrais constamment à mes côtés, cet homme, je voudrais être avec lui non-stop, l'avoir constamment sur moi pour colmater ma brèche par où tout mon être s'enfuit. Je l'aime ! Je l'aime ! Je l'aime comme une citrouille d'Halloween avec une bougie allumée dans son ventre qui met le feu à un bungalow ! Souvent, j'ai essayé de lui dire que je voudrais qu'on soit ensemble, mais ma bouche s'est crispée pour former une grimace. J'ai peur en lui disant ça qu'il s'enfuie à toute jambe, qu'il se mette des timbres dans les cheveux et qu'il s'expédie, je ne sais pas, à Prague, par exemple. Alors, à la place, je lui pose des questions sans danger pour notre petite relation de couple illicite, comme *Tchéky, est-ce que tu veux t'enfoncer avec moi ?* Des questions belles, poétiques, générales, qui laissent de la place pour répondre n'importe quoi, pour produire une dissertation.

— Si tu m'y conduis, dit-il. Mais pourquoi veux-tu savoir ça ?

— Parce que cette nuit, j'ai rêvé que j'étais dans un ascenseur et que je m'enfonçais seule dans la terre, je devais aller en prison pour je ne sais trop quel crime. Le gardien de la prison voulait voir l'intérieur de ma brèche, il voulait regarder, juste regarder, pas s'enfoncer, aller jouer à l'intérieur de moi, sans se faire mal. Ça m'a fait penser à la phrase d'Oscar Wilde que tu m'as déjà citée : *Aller se tremper dans l'autre monde.* Tu te rappelles cette citation que tu m'avais susurrée quelque part dans le creux du dos un jour que tu constatais que j'étais très différente de toi ?

Je ne suis pas de son monde, un maestro de la poésie et sa ritournelle, un prof de littérature et son étudiante, un homme coincé devant un petit pétard blond, deux univers défigurés par la présence de l'autre, non, je ne suis pas de son univers et il passe son temps à me le rappeler aussi.

— Tu sais... Je viens d'un univers très différent du tien, je n'écoute pas de rock, moi, j'écoute Brel et Mozart. Et dans ma maison tout est calme, il n'y a pas des tonnes de personnes qui viennent y foutre le bordel, et j'ai une vie bien équilibrée, je mange à des heures fixes, moi.

Je viens d'un univers très différent du tien, me répond-il tout le temps comme pour me signifier que je suis une extraterrestre dans sa vie et qu'être ensemble pour vrai relève de la fiction. Quand il me dit ça, j'aurais envie de m'arracher un œil et de l'avaler, qu'il me laisse donc me raconter une belle histoire, la belle histoire de deux mondes qui s'effondrent ensemble. Plus nos plaies seront profondes, plus on s'infiltrera l'un dans l'autre.

* * *

Sauf exception, on se voit une seule fois par semaine depuis que notre histoire a commencé, et moi, ça m'écœure. Je me montre forte, indépendante, au-dessus de mes affaires, une vraie Goldorak de la vie amoureuse, et pourtant, je passe mes journées à genoux au plafond, les deux mains jointes, à attendre son appel, je suis aussi fragile que les pattes de Bambi, il devrait voir dans mes yeux de biche abandonnée que je suis incapable de me passer de lui. Je ne sais plus quoi faire pour le rendre fou à lier de moi, pour faire en sorte qu'il ne soit plus capable de se passer de moi, qu'il m'adopte, moi, la petite mésadoptée sociale, alors j'essaie de l'attirer avec le sexe, avec ma brèche, mon arme de pauvresse. Je lui raconte des tas d'histoires pour que ma petite personne finisse par l'obséder : *Un jour, je vais t'attendre habillée en écolière, petit blazer bleu marine, bas blancs qui montent au-dessus des genoux, jupe à carreaux et je vais mettre une petite culotte en coton blanc aussi douce qu'un nuage, je t'attendrai comme ça dans ton bureau à l'université et quand tu entreras, on fera des cochonneries, je te sucerai juste avant que tu ailles donner ton cours et tu éjaculeras sur le carrelage, ça sentira le foutre à plein nez dans ton bureau. Tu sais quoi, Tchéky ? On devrait s'enfuir à la campagne et là, kidnapper une fille, l'attacher et la bâillonner et lui faire des tas de choses, tous les deux sur le corps de la fille, tous nos doigts dans son trou et nos bouches qui mordent ses mamelons, on pourrait lui entrer toutes sortes d'objets dans son trou, à la fille, des crayons, des cuillères, des cactus. On pourrait faire des orgies, Tchéky, des orgies avec mes copines, tu les trouves jolies, mes copines, tu les trouverais encore plus jolies nues, leur trou au-dessus de ma langue qui lécherait ton foutre qui s'écoulerait.* La seule chose qu'il trouve à faire, c'est de me regarder en silence, sans sourire, comme si j'étais un spécimen de cirque, la femme à barbe, fascinante et repoussante à la fois, une curiosité dans son recueil d'anthropologie féminine. Je suis ridicule, ridicule, juste d'y penser, j'ai les poings qui se serrent pour me frapper.

DEUXIÈME PARTIE

La vie quotidienne d'une fildeferiste emmêlée dans son fil de fildeferiste

Mon prof de littérature continue de me hacher le cœur en minuscules morceaux, il n'a toujours pas laissé sa femme ni dit ce qu'il faisait avec moi, il ne m'a même jamais dit *Je t'aime.* Je ne sais plus depuis quand je le fréquente, trois mois ou des années-lumière, et il ne se passe rien qui me montre qu'il est possible que nous ayons un avenir à deux, un avenir qui mettrait en scène mon prof de littérature et moi dans une pagode à Brossard, mon rêve, mais je m'accroche quand même en vraie débile, je m'accroche, mon espoir en forme de piolets plantés dans ses côtes, mes ongles accrochés dans tous les lits de chambre d'hôtel où nous allons, je suis indécollable, une tache dans sa vie. Chaque fois que je le vois, c'est la fête, j'ai de la barbe à papa dans les cheveux et des confettis plein la bouche, je m'active, j'anime notre relation, j'essaie de lui faire voir des étoiles, à Tchéky K., je ne veux pas qu'il s'ennuie avec moi, qu'il ait envie d'aller retrouver sa femme au plus sacrant, la chose affreuse dans mon cirque. Quand il fait une farce, je ris à gorge déployée, la bouche grande ouverte pour avaler toutes les mouches de la terre, je veux qu'il se sente chéri. Quand il parle de théories littéraires, je l'écoute le plus sérieusement du monde, à en prendre des notes sur mes cuisses nues. Et quand on fait l'amour, j'exécute avec une énergie hors du commun tout ce qu'il me demande : *Prends-moi dans ta bouche*, je le suce une heure, deux heures, trois heures ; *Masse mes couilles*, je lui masse les couilles à en avoir une tendinite jusqu'aux genoux ; *Mets mes couilles dans ta bouche*, je mets ses couilles dans ma bouche même si ça m'étouffe ; *Branle-toi devant moi*, et je me branle devant lui, j'introduis un doigt, deux doigts, trois doigts dans ma brèche si fière d'être admirée, et ça entre, ça sort, ça entre, ça sort, mes doigts brillent de mon liquide sous l'éclairage tamisé de la chambre d'hôtel ; *Tiens, entre ce crayon*, j'entre le crayon au plus profond de ma brèche, je me défonce le col de l'utérus, ça s'ouvre tout grand, mon prof de littérature peut se coucher dans mon ventre. J'en mets, j'en mets, bien sûr, ce n'est pas comme ça que ça se passe au lit avec Tchéky, mais même si c'était ainsi, je le ferais, je veux tellement qu'il soit fou à lier de moi, mais j'ai beau m'activer, user de mon corps comme une déchaînée, il ne se passe rien de prometteur pour notre petite vie de couple, que les mêmes choses, nous sommes dans la répétition, nous sommes dans Nietzsche, nous sommes dans Nietzsche. On se voit une fois par semaine, on va manger dans un resto du type « apportez votre vin », puis on va à l'hôtel, le plus souvent à l'hôtel Le Cythère sur Sherbrooke, quarante-cinq dollars pour quatre heures, on se déshabille, on prend une douche ou un bain, question d'avoir la brèche et la queue bien propres, je regarde son gros ventre blanc, il lèche le bout de mes seins, il se couche sur moi et insère sa queue dans ma brèche, parfois ça réussit, parfois non, quand ça ne réussit pas, je lui propose un massage de couilles ou une masturbation exhibitionniste, une fois terminé, une fois qu'il a éjaculé sur mes seins, sur mon ventre, dans ma brèche ou dans ma bouche à coup de jets spectaculaires, on s'assoit dans le lit et on parle de théories littéraires, mon corps comme un tableau, il m'enseigne Deleuze, Bataille, Broch, on rit, certes, mais il y a ma boule d'angoisse qui finit toujours par me faire rire jaune, alors, quand je n'en peux vraiment plus, je m'absente de la chambre d'hôtel, je me réfugie dans mes rêves de Calinours et de barbe à papa et, lorsque je reviens à la réalité, il y a toujours mon prof de littérature qui est là couché à côté de moi, dans la chambre d'hôtel et qui ne dit plus un mot, il me regarde tristement. Alors, il vient nous reconduire, moi et ma boule d'angoisse, toujours sans dire mot de notre relation et moi, je m'inquiète, moi et ma boule d'angoisse nous nous inquiétons, ma boule d'angoisse n'en finit plus de grossir, elle veut prendre toute la place dans mon ventre, je m'inquiète, je m'inquiète, je me gratte l'intérieur de la tête et me gruge les sens pour trouver un moyen d'être avec lui non-stop, je suis toujours aussi folle à lier de lui qu'au début, toute ma petite personne est à recommencer, il faut qu'il se passe quelque chose, il le faut.

* * *

Un jour, je risque une question, je prends une grande respiration et plonge dans l'immense bleu et demande à Tchéky :

— Quitterais-tu ta femme pour moi ?

Des aiguilles me transpercent le corps, des éclairs brûlent mes tympans, des picotements parcourent ma peau jusqu'au bout de mes doigts, des décharges d'électrochocs fracassent mes neurones. Silence. Il fixe, devant lui, le mur violet de la chambre de l'hôtel Le Cythère, il fixe et fixe le mur comme si le film de sa vie y était projeté et moi, je reste couchée bien droite à côté de lui, une statue de sel, à le regarder, même si à l'intérieur de moi tout se tord de douleur et se mélange et s'éparpille : le cerveau dans l'utérus, les intestins enroulés autour du cou qui étranglent, le pancréas à la place du cœur, je ne suis plus capable de digérer son silence, je vais crever. Pourquoi est-ce qu'il ne me répond pas, l'espèce de vieux croûton, l'andouille farcie, pourquoi ? Et moi, pourquoi est-ce que je reste là quand même ? Couchée à côté de lui dans cette maudite chambre du Cythère avec ce bain tourbillon à coté duquel j'ai failli me péter la gueule tantôt, parce que je voulais voir le vidéo de David Bowie à MusiquePlus, *China Girl*, un vidéo qui me rappelle la fois où l'on a eu le câble à la maison quand j'étais gamine, et que je nous pensais riches, ma famille de pauvres et moi, je pensais enfin qu'on était au même niveau que tout le monde, que notre quatre-et-demi insalubre était un palace à Westmount. Parce que je voulais ressentir cette sensation de richesse, je suis sortie du bain tourbillon en courant pour monter le son et paf ! j'ai fait un vol plané, je suis tombée par terre nue comme un ver. Est-ce pour ça qu'il ne me répond pas ? Il ne veut pas finir sa vie avec une fille qui ne sait pas sortir d'un bain tourbillon sans se casser la gueule, il ne veut pas passer le reste de ses jours avec une fille qui fait des vols planés dans les chambres d'hôtel. Pourquoi je reste là idiote, idiote que je suis ? Est-ce parce que je suis la fille illégitime de Sacher-Masoch, couchée nue à côté de lui, offerte à ses coups et blessures ? Comme si je lui disais *Allez, frappe-moi, Tchéky, fais-moi expier toutes les fautes que j'ai commises, toutes les queues que j'ai laissées entrer dans ma brèche le sourire aux lèvres, les* Je t'aime *que j'ai dits alors que je pensais à toi qui un jour arriverais dans ma vie, toutes ces promesses que je n'ai jamais tenues, et toutes ces fois où j'ai rendu folle ma mère folle à lier de mon enfance.* Il devrait savoir que j'ai grandi sous l'œil des ruines, que ma maison est dans le ventre de l'abandon et que j'ai besoin de lui plus que tout au monde.

Ma psy dit que c'est parce que j'ai peur de l'engagement que je suis avec un homme marié, elle est persuadée qu'en moi il y a des milliers de portes intérieures qui sont fermées, qu'en moi, c'est : Pas de colporteurs ! Pas de témoins de Jéhovah ! Le premier témoin qui se pointe, je lui refile une transfusion sanguine ! Mais pourquoi toutes ces portes ? Pourquoi toutes ces barrières ? Pourquoi est-ce ainsi ? Pourquoi ai-je si peur de l'engagement ? Pourquoi ? Pourquoi ? Pourquoi ?

Les pourquoi fracassent mes cellules, vont jusqu'au tréfonds de mes neurones remplis de colère, réveillent les synapses, c'est la merde dans mon cerveau, j'éclate, je chie sur tout, en particulier sur les hommes qui sont des écœurants, et moi, c'est l'hystérie collective dans ma tête, je dois tous les faire payer parce que ma mère faisait pitié !

Ma vie, c'est l'été meurtrier, je suis en croisade contre ceux qui pensent m'aimer, je suis Adjani en blonde, je me balade dans des milliers de chambres d'hôtel, déguisée en actrice porno, nue et talons hauts, je dois tous les faire payer, j'ai mes raisons, personne ne m'envahira, aucun homme n'ira plus loin que ma brèche, le col de mon utérus est ma première défense, je n'aime personne et je ne m'aime surtout pas. J'entends la voix de ma psy : *Vous êtes coupée de vous-même, vous êtes double, une partie de vous utilise l'autre comme un objet. Qui est l'objet en vous ? Hein ? Qui ? Qui ?*

Ma psy a le don de me faire sentir comme Will Hunting, sauf que, moi, je n'ai pas écrit le scénario de Matt Damon, je n'ai pas la paye de Matt Damon, je n'ai pas la bouille hollywoodienne de Matt Damon, en fait, je n'ai rien de Matt Damon, moi, je suis un petit clown souriant à talons hauts, super sexy, qui joue son cirque pour faire payer tous les hommes de la terre, surtout lui, je dois le faire payer de m'obséder de la sorte. Je suis en train de devenir dingue, peut-être. Mon prof de littérature ne m'a pas répondu.

* * *

Le temps passe et Tchéky n'a toujours pas répondu à ma question qui m'obsède et m'obsède comme le nom d'un comédien qu'on a oublié. En plus de ne pas répondre à ma question, il commence à espacer nos rendez-vous, je n'ai aucun reçu pour me garantir son amour, je n'ai rien de lui, presque rien, pas même de mots, de belles paroles avec lesquelles je pourrais me gargariser, pas même de poèmes construits avec des mots tels « perles », « désir », « adorer », « madone », non, il ne me laisse pas grand-chose, que des miettes. Son message tantôt sur mon répondeur : *Kiki. Ici Tchéky, appelle-moi demain. Appelle-moi avant 9 h 30, je dois partir tôt. Au revoir.* Et à la télé le chanteur chante : *You're so fucking special / I wish I was special / But I'm a creep / I'm a weirdo / What the hell am I doing here ? / I don't belong here.* Qu'est-ce que je vais faire demain sans ma dose de lui ? Il annule notre rencontre, notre seule rencontre de la semaine, non, non, comment vais-je faire ? Errer dans la vie comme une folle à la limite de ce que je suis et de ce que je pourrais être ? Pourtant c'était une belle semaine que cette semaine, une belle semaine avec un prix et des promesses, ce n'est pas tous les jours qu'on gagne un grand prix de journalisme, ce n'est pas tous les jours qu'on est heureuse comme ça, qu'on hurle au téléphone comme hier après-midi : *Tchéky ! J'ai gagné cinq mille dollars Tchéky ! Je n'en reviens pas ! Cinq mille dollars !* Cinq mille dollars, ça aide quand on est toujours cassé comme un clou, quand on a si peu d'argent qu'on doit brûler la flanelle par les deux bouts. J'avais tellement envie de le voir et de l'embrasser jusqu'à lui laver tout le visage, lui faire des trous dans les joues et lui déplacer les poumons, c'était une belle semaine que cette semaine, une belle semaine qui montrait à la face du monde entier du Québec et surtout à mon prof de littérature que j'ai un avenir, mais pas vraiment dans ses bras, avec lui, je ne peux pas penser plus loin que le bout de mon nez, rien imaginer plus loin que le bout de mon nez, je ne peux pas penser me promener main dans la main avec lui le dimanche, non, c'est sûr, le dimanche, il est avec sa femme et ses trois enfants, et c'est la main de sa femme qu'il tient, la main de sa femme. Moi, le dimanche, je me bouffe les mains littéralement, je me ronge les ongles, les cuticules, les avant-bras, les coudes et les épaules en me disant : il ne faut plus que je le revoie, c'est un crisse de trou de cul qui trompe sa femme, c'est un peureux, un chieux qui veut le meilleur des deux mondes, la sécurité affective que lui procure sa femme et la jeunesse de sa petite maîtresse, un vieux trou et une brèche de jeunesse. Quand je suis en train de m'autodigérer les deux bras, je me jure que je ne le reverrai plus jamais mais, dès qu'il appelle, je saute, je trépigne, je fais des doubles saltos arrière, je suis incroyablement disponible quand il peut me voir, je me précipite dans ses bras quand il les ouvre, je le suce quand il décide qu'il en a envie, crisse, je suis complètement addict à sa peau, à ses caresses, à sa bouche, à ses mots qu'il me donne au compte-goutte, crisse que ça m'écœure, il faudrait que je me désintoxique, que je redevienne toute moi, mais comment faire ? *I want a perfect body / I want a perfect soul / I want you to notice / when I'm not around / You're so fucking special / I wish I was special / But I'm a creep.* Comment le chasser de mes pensées ? Me mettre la tête dans un scaphandre et l'emplir d'eau ? *No alarm and no surprise.* Non, plutôt adopter une position raisonnable : me jeter dans les bras du premier venu, me jeter dans les bras d'un homme qui habiterait dans mon appartement et qui coucherait tous les soirs dans mon lit, un homme qui m'aimerait, qui crierait comme un oisillon pour vivre auprès de moi, qui réclamerait ma présence à toutes les minutes de sa vie, même quand je serais à côté de lui, son amour buzzerait comme un vieux congélateur derrière ma tête, un homme qui me ferait l'amour sans que j'aie besoin de me démener, qui lécherait des heures et des heures ma brèche mal aimée, qui perdrait son temps sur mes seins, qui s'occuperait de moi. C'est ce que je vais faire, crisse, je vais me marier, me marier comme une débile, me marier comme c'est pas possible, avec un homme qui m'aimera plus que tout au monde, et quand je serai la belle petite princesse mariée et mère de famille, j'oublierai mon prof de littérature, j'oublierai que j'ai été son petit jouet d'hôtel, sa petite bébelle d'occasion, son petit clown XXX qui avale tout. Que j'ai de la hargne, que je n'aime pas quand je n'ai pas le contrôle, je ne suis pas faite pour ne pas avoir le contrôle, je suis mûre pour la colère, la colère de la petite fille qui vient de l'est de Montréal, le Bronx de la métropole, et qui n'a eu que des miettes à se mettre sous la dent, des miettes d'amour laissées dans le couloir par sa mère folle à lier et son papa voleur de banques, puis par ses amants, genre de Petit Poucet à l'envers qui mange ce qu'on laisse tomber, espérant ainsi ne plus jamais retrouver son chemin, je vais foncer dans ma colère. Ma psy dit que c'est parce que j'ai de la hargne contre l'autre en moi que je suis incapable d'être en couple, bof, quand ma psy me parle de la hargne qui m'habite, je ne suis pas sûre de comprendre ce qu'elle veut dire ou plutôt je ne suis pas sûre de vouloir comprendre ce qu'elle me dit. Parfois ma psy me parle et j'entends des criquets ou j'hallucine un jambon avec des pieds qui court après moi, j'ai comme des courants d'air dans la tête. Mais ce que je sais, c'est que je suis coincée avec cette pensée stupide : je dois faire payer tous les hommes de la terre, et surtout lui, qui fait de moi la deuxième, alors que j'ai tant besoin d'être la première, lui qui fait de moi un amour d'occasion, bon marché, un amour de marché aux puces, obsolète, décati, seconde main. Je suis si fatiguée que ma vie ait l'air d'un film de cul avec du sexe triste, je n'ai même plus la force de déposer ma tête dans mes mains, je veux qu'il y ait de l'espoir, quand nous sommes en dehors du lit, à la verticale.

Il n'a pas répondu à ma question et il espace les rendez-vous, pourtant j'ai été gentille, pourtant j'ai été belle et fine, pourtant il me donne A+ partout, pourquoi il ne veut pas me voir alors, parce que sa queue, quand elle est dans ma brèche, ne reste pas toujours dure et que ça lui fout des crampes d'estomac et que moi, une fois dans mon quatre-et-demi, j'en fais des ulcères jusqu'au bout des cheveux? Ça va trop vite dans ma tête, il faut que je respire, j'ai l'impression que quelqu'un tire sur un harnais et veut que j'étouffe, il ne faut pas que je perde mes nerfs, il ne faut pas, j'aurais tellement besoin qu'il me chante une chanson qui me tiendrait au chaud, c'est aussi con que ça, qu'il me berce dans ses bras, qu'il me dise que tout va bien aller, que je suis sevrée, que je suis une grande fille, qu'il sera toujours près de moi, j'aurais besoin qu'il me dise tout ça en introduisant trois doigts dans ma brèche et en léchant mes joues. Un peu de mots, un peu de peau, un peu d'amour, un peu de Quik.

* * *

J'ai voulu lui arracher la tête et les couilles pour rien, il voulait seulement rapprocher le rendez-vous, mon visage était tout souriant, j'en avais mal aux joues et presque des bleus aux lèvres, j'avais l'air d'une vendeuse d'aspirateurs qui s'apprête à vendre le super ultra de luxe, celui dont personne ne veut parce qu'il fait un bruit de marteau-piqueur. Il a rapproché le rendez-vous, il avait trop envie de me toucher et de me faire boire sa salive. Quand il est arrivé au restaurant, sa bouche a cherché ma bouche devant tout le monde, puis vite vite, il s'est empressé de m'inviter à l'hôtel Le Cythère, notre petite résidence secondaire, notre petite île triste et noire, même si j'avais faim et que je me serais volontiers envoyé un poulet entier derrière la cravate, non, pas le temps, son envie que je le suce était trop intense, ça lui faisait mal, dans l'auto aussi, ça lui faisait mal, *Caresse-moi, Kiki, regarde, c'est bleu tellement j'ai envie de toi* et, une fois dans la chambre d'hôtel, les vêtements éparpillés partout autour, lui couché, moi à quatre pattes au-dessus de son ventre, toujours à m'activer, ses mains qui enserrent mon crâne pendant que mes yeux fixent ses poils blond cendré et gris.

Tension.

Ça gicle.

C'est chaud dans ma bouche, mais c'est froid partout sur ma peau. Je gèle. Ses bras sont si loin de moi, ses mains qui tantôt tenaient solidement ma tête pour me faire adopter la cadence souhaitée sont ramenées quelque part derrière sa tête. Il est couché sur le dos dans le lit, il gesticule encore, quelques tressaillements, émet des grognements de satisfaction, ses yeux sont fermés, il a eu ce qu'il voulait, il a joui dans ma bouche comme dans un kleenex et ma bouche et moi n'existons plus. Je me roulerais en boule et me jetterais à la poubelle, il fait trop froid, c'est froid partout, le froid de la pièce, le froid du lit, le froid de ses yeux fermés, le froid du silence. J'avale la chaleur, j'ai encore plus froid.

Il brise le silence pour m'agresser, un couteau qui rôde à l'orée de mes seins :

— Je rénove mon chalet dans les Laurentides... Ça avance... J'ai mal partout... J'ai les lèvres gercées...

Silence. Il continue, le couteau fait une première entaille :

— Des universitaires, des femmes de Paris, de Prague, que je connais, m'écrivent, m'appellent, me réclament. Je leur envoie des recueils de Jean-Sébastien Huot, de Jean-Paul Daoust... Elles veulent que j'aille faire des conférences...

Silence. Il continue, encore, le sang commence à couler :

— Je pars à mon chalet cinq jours...

Cinq jours, dix jours, deux ans... Silence. Le couteau s'enfonce, il m'exécute.

— Ça ne sera pas possible de se voir la semaine prochaine.

Silence. Silence. Silence. Mais pourtant ça crie si fort à l'intérieur de moi. Qu'est-ce que je fais avec lui qui jouit dans ma bouche ? Qu'est-ce que je fais ici dans ce lit alors que j'ai à peine une place dans sa vie ? Je suis sa poupée blonde, son petit clown gonflable qu'il peut ranger dans le fond d'un placard, je suis loin d'être la femme de sa vie, celle qui partage tous les jours son lit, et ça crie si fort dans ma tête et pourtant je le regarde, je souris et calmement je lui dis :

— Tu sais, tu as un plus gros ventre que je pensais.

Tiens, mon Tchéky, tu vivras avec ça cette semaine. Moi, je me branche sur la fillette de l'est : *Je suis une petite fille / Et tout le monde m'aime bien / Quelquefois je pleure et je rage / On ne peut pas toujours être sage comme une image / C'est tout !*

Mais plus tard dans l'auto, alors qu'il vient me reconduire dans sa Hyundai familiale quatre portes, je ne peux plus tenir ma bouche fermée, ça fait trop mal.

— Dis-moi quelque chose, Tchéky! As-tu oublié ma question, tu n'y as jamais répondu. Dis-moi quelque chose, Tchéky!

— Tu le sais, je pense à toi beaucoup. J'en ai des problèmes de peau.

Il pense à moi, mais les gestes n'y sont pas. *Il n'y a pas d'amour, il n'y a que des preuves d'amour.* Qu'il me donne des preuves, mon Dieu, des preuves, mais qu'est-ce que je veux comme preuves? Une pagode à Brossard avec lui? Des enfants avec lui? Des journées entières avec lui? Des *Je t'aime* de lui? Un jardin communautaire où faire pousser des patates avec lui? Un aspirateur? Une piscine? Une tondeuse à gazon avec lui? Oui, oui, oui, je veux tout ça avec lui, oui, oui, oui, je le veux, et c'est mon droit légitime de petite amoureuse, de fille folle à lier de son prof de littérature.

Ça, c'était vendredi, c'était il y a longtemps, dans une autre vie où tout était permis, aujourd'hui, c'est dimanche et je n'ai pas de nouvelles de lui, ma boule d'angoisse en profite pour me narguer, je suis complètement désespérée. Je me concentre sur mon cœur, j'écoute ses tic tac, j'essaie de passer le temps, de m'occuper, je vais jusqu'à me lécher les bras pour que ça passe plus vite. Si je le pouvais, je m'ouvrirais les veines et compterais un à un mes globules rouges qui bouillonnent, qui sont en pleine ébullition, je suis en manque, j'aurais besoin de méthadone, j'aurais besoin de me faire un fix pour fixer mon attention sur le moment présent, empêcher mon cerveau de s'envoler toujours dans sa direction, mais tout me ramène à lui. Dans le journal, ce matin, il y avait une critique de son dernier recueil de poésie, *La Sonate à Kafka* de Tchéky K., quatre étoiles. Pour moi, c'est beaucoup plus qu'un quatre étoiles, cet homme, c'est un mille étoiles, un trois billions d'étoiles! Encore une fois, j'essaie de toucher les étoiles, encore une fois je vais me jeter en bas d'un pont ou je vais me jeter en bas de mon balcon, en bas de mon onzième.

-*. *Bienvenue à l'Université de l'amour congelé comme un dîner congelé. English will follow. Si vous connaissez le numéro de la personne que vous désirez plus que tout au monde, veuillez composer le numéro du poste suivi du carré.*

— Euh… Je ne sais pas si je fais bien de te laisser des messages comme ça, des messages qui n'ont pas souvent de feedback, on dirait que je n'ai pas d'amour propre ou plutôt, pour paraphraser Yann Andréa tantôt à Pivot, que je suis ta petite amante soumise. En tout cas, je dois m'accrocher à tes deux seules phrases de vendredi, deux seules phrases qui me laissent croire que mes appels ne finissent pas en mille morceaux sur le plancher de ton bureau : « Je pense beaucoup à toi. J'en ai des problèmes de peau. » Ce sont tes mots, tu te rappelles? Donc, même si tu m'as dit que cette semaine tu auras de la misère à me voir, je vais quand même te dire que si tu as des problèmes de peau ou que tu m'as dans la peau, je ne sais pas trop, je pense que tu vas faire quelque chose pour me voir un soir cette semaine, parce qu'il faut que ça soit un soir, il faut qu'il fasse noir et qu'on boive du vin, comme ça on va pouvoir continuer d'inventer l'histoire d'un maestro de la poésie et de sa ritournelle… Je pense qu'on a besoin de folie. J'espère que mon message va faire autant écho que si je l'avais crié dans une fournaise.

J'attends.
J'attends.

* * *

Lundi.
J'attends.
J'attends.

Lundi est long, trop long, toujours sans nouvelles de Tchéky, mes hormones ne font que sécréter du désespoir. Je vais chez mon amie la tristesse et son amoureux, le clown, mais ça ne me change pas les idées, c'est moi qui suis le phénomène, l'attraction dans leur petit cirque. Le ventre enflé, elle me parle de noms de bébé, *Eugène, Eucliffe, Samuel,* ce que j'en pense, ce que je choisirais si quelqu'un me mettait un bébé dans le ventre, mais moi, je n'ai qu'un seul nom en tête : Tchéky K.

Le clown s'en va, la tristesse tout à coup s'épanouit et devient un chant de joie.

— Je ne me laisserai plus attrister, me dit-elle.

Quelques secondes s'écoulent.

— Je n'ai jamais aimé les clowns. Surtout les clowns profs d'université, ajoute-t-elle.

J'aurais envie d'ouvrir la bouche très grande et de lui hurler *MOI NON PLUS,* j'aurais envie d'ouvrir mon ventre et de lui sortir ce que j'ai dans les tripes, là, en ce moment, lui dire que j'ai la tête pleine moi aussi d'un prof d'université, lui dire que je suis mal actuellement, que tous mes gestes sont faux, car il n'est pas là, il ne m'a pas appelée et j'ai peur qu'il m'ait oubliée, qu'il m'ait remplacée par une autre étudiante plus belle, plus gentille, plus attachante avec des formes plus attirantes qui fait des choses que je ne fais pas, qui se fait enculer et qui aime ça, par exemple, mais je me la ferme et ne dis rien. Je ne peux pas parler de ma relation avec mon prof de littérature, c'est une histoire cachée, un livre caché; si à l'université ils venaient à apprendre qu'un des leurs se fait bouffer la queue par une de ses étudiantes, on n'aimerait pas ça, on le pointerait du doigt, on parlerait dans son dos, peut-être même qu'on passerait sa vie au peigne fin, des recteurs entreraient comme ça dans notre chambre du Cythère afin de savoir ce que nous bricolons ensemble, si elle est véridique, cette histoire, si un des leurs met vraiment ses doigts dans la brèche d'une de ses étudiantes. On voudrait aussi connaître nos pratiques sexuelles, s'il est debout derrière moi quand il me pénètre, s'il met ses mains sur mes seins quand il me pénètre, s'il me fouette aussi avec sa ceinture de cuir pendant qu'il me pénètre. Mais les recteurs ne nous demanderaient pas si nous nous aimons plus que tout au monde, si nous ne sommes que deux amants happés par leur désir, incapables de se contrôler. Non, ça ne serait pas bon pour lui si l'université venait à apprendre que nous avons une relation sans condom, alors notre histoire est bien cachée, même si on s'embrasse devant tout le monde dans des petits restaurants déserts, les risques sont si minimes. C'est plutôt rare qu'un cuisinier et ses serveurs ruinent la vie des gens, sauf quand ils mettent trop de moutarde dans un hamburger.

Et lundi continue et il dure longtemps. Longtemps. Longtemps. Longtemps. Longtemps. Longtemps. Longtemps. Longtemps. Longtemps. Longtemps. Longtemps. Longtemps. Longtemps. Longtemps. Longtemps. Longtemps. Longtemps.

* * *

Mardi. Je suis à Outremont sur le point d'interviewer une petite vedette de la télé qui fait des vrilles arrière avec son micro pour intéresser le public, comme un caniche. J'appelle chez moi, je veux savoir s'il m'a laissé un message, s'il a pensé à moi aujourd'hui, une toute petite pensée, toute petite, un éclair dans lequel il aurait vu mon visage, mon sourire, mes formes, est-ce que ça lui arrive à l'occasion d'avoir des petits flashes d'Émilie-Kiki ? Il ne m'a pas appelée, mardi est long, j'investis tout mon être dans mon métier, je suis encore plus journaliste que d'habitude, je ne suis que journaliste, je ne suis plus une fille, je n'ai pas faim, je n'ai pas soif, je n'ai surtout pas de sentiments, ça non, il ne faut pas que j'en aie, je ne suis qu'une journaliste qui rédige des tas de questions, une machine à questions, une machine d'écriture, je tape deux millions cinquante-six mots à la seconde, je garde mon attention dans l'enclos du clavier, je ne peux me permettre aucun écart, il ne m'a pas appelée, je ne peux pas me permettre de penser, il ne m'a pas appelée, mardi est trop long, je déteste mardi.

Mardi n'a plus de fin, mais mon métier m'oblige à penser, la petite vedette de télé est en retard de plusieurs heures, je dois m'occuper, alors je vais dans un café, des volutes de fumée décorent le ciel de la place, je me trouve ridicule, stupide et dépourvue d'amour-propre, je vois mon reflet dans la vitrine, j'ai le sourire laid, je m'en veux, je m'en veux tellement que je me couperais le bout du nez, que je me cacherais dans mon placard pour deux siècles et demi, j'ai fait un saut dans un autre monde, un monde au-dessus de mes moyens, et ce monde ne veut pas de moi, mon prof de littérature ne m'appelle pas. Il doit me manquer des morceaux, des cheveux blonds et une bouche, ce n'est pas trop complet comme être humain, des cheveux blonds et une bouche pour jouir dedans, ce n'est pas suffisant pour avoir un avenir. Qu'est-ce qui se passe ? J'aimerais avoir son âge, cinquante-six ans, pour comprendre, pour être plus forte, ou bien être quelqu'un d'autre, plus belle, plus fine, plus intelligente. *Tu es très intelligente, tu as une intelligence concentrée*, m'a-t-il déjà dit nu couché quelque part à côté de moi, oui, une intelligence concentrée, je sais écrire et sourire, sourire et écrire et me servir de ma bouche et de ma brèche, mon champ d'intérêt est aussi petit qu'une fourmi, en dehors de ça, je suis la nullité incarnée, j'ai pour passe-temps une psychanalyse, je ne suis pas assez bonne pour être le centre de son attention, non, moi, je suis le centre de rien, du vide, de l'ennui, du désespoir, de la défaite amoureuse. Qu'est-ce que je donnerais pour penser à autre chose, à quelque chose de plus réjouissant que cette triste histoire d'un vieux croûton marié qui enfile une fois par semaine une petite blondinette aux yeux en forme de manque ! Je ne peux même pas l'enlever de mes pensées, ne plus le voir, je dépends de lui, il est le sujet de mon livre, enfin de ce journal qui deviendra peut-être un livre, j'en ai besoin pour écrire, pour vivre, il est mon héros, celui qui me sauvera ou m'enfoncera. Chaque fois que je pense à lui, j'ai envie de m'envoler vers Pluton, mais je ne peux pas décoller, mes ailes de poulet ne me le permettent pas, je ne peux pas partir, alors quand il m'appellera, je serai là, c'est sûr, et il verra mon cœur à l'œil nu, mais il ne verra pas que j'ai beaucoup trop de bouches pour ses baisers. Je voudrais tant l'extirper de mes cellules, comme de la vitre coincée dans une tempe, une espèce de douleur qui fait vomir des hallucinations. Mon prof de littérature ne m'a pas laissé de message.

* * *

Mercredi, il appelle, mercredi, sa voix.

— Bonjour Kiki.

L'océan s'ouvre, je peux passer au travers, je suis Moïse et je traverse l'océan, j'ai une barbe, des gougounes aux pieds et deux tablettes de chocolat dans les mains, tout m'est possible.

— J'ai essayé de t'appeler lundi. J'étais dans une cabine téléphonique, dit-il.

Merde ! J'étais chez la tristesse et le clown, je n'aurais pas dû sortir, je ne devrais jamais sortir, je devrais rester chez moi à côté du téléphone, je ne devrais pas penser avoir une vie en dehors de lui, en dehors de ses appels, j'aurais pu perdre ma place, ma chance, mon tour, ne plus être son petit clown.

— Je me suis inquiétée.

— Je le sais.

— Je me suis inquiétée, je lui répète la gorge serrée. Des inquiétudes aussi grosses que des éléphants, je n'avais plus de personnalité.

— Kiki, on se voit ?

— Oui ! Oui ! Oui !

Enfin, j'ai entendu sa voix et en plus on se voit, mercredi est une très belle journée, c'est une journée de fête, sortez les petits chapeaux et les flûtes et les confettis aussi, j'embrasse mercredi.

* * *

— Je voulais te faire vingt-sept cadeaux, mon beau petit clown, mais je n'avais pas le temps, alors je t'ai fait un cadeau pour chaque dix ans, dit-il étendu sur le drap froid dans la chambre de l'hôtel Le Cythère.

Je déballe mes cadeaux d'anniversaire : une petite bonne femme aimantée qui a l'air d'avoir fait caca dans sa robe pour coller sur mon frigo, un livre d'enfant pour l'enfant que je suis, *Gros Mots*, de Réjean Ducharme et deux Christine Angot, dont *L'Inceste* pour mon style de vie, pour ma relation avec lui, qui n'a plus grand-chose d'incestueux, ça devient indécent, il ne bande plus, il va falloir que je me pique les yeux avec des aiguilles pour savoir si je sens encore quelque chose. En plus, il n'a toujours pas répondu à ma question : *Quitterais-tu ta femme pour moi ?* Peut-être est-ce de ma faute s'il ne veut pas finir sa vie avec moi, la langue sur ma brèche ? Le sexe, tous les deux, ça ne va pas toujours bien. J'ai beau respirer fort comme les actrices pornos, dire des choses comme les actrices pornos : *Oui oui, Encore, Allez, c'est bon, Elle est grosse, ta queue*, me lécher le bout des seins en le regardant droit dans les yeux, faire toutes sortes d'acrobaties digne du Cirque du Soleil, deux fois sur trois, ça ne veut rien savoir de ma brèche. Et si je n'étais bonne qu'avec les filles maintenant ? Après tout, les meilleures fois que j'ai fait l'amour depuis un certain temps, c'était avec des filles. Sur la piste de danse du Unity, une belle blonde et moi, on n'en finissait plus de se toucher sous les yeux globuleux des milliers de gais qui dansaient autour de nous et, plus tard, chez moi, sur mon lit, c'était encore la même histoire, on n'en finissait plus d'entrer nos doigts dans tous les trous qu'on trouvait, les doigts gluants et le vibromasseur brillant de nos liquides. Et cette autre fois, avec ma copine la tristesse, son ventre gros de femme enceinte de six mois, moi, perdue quelque part au-dessus de cette montagne qui râlait et râlait de savoir ma bouche qui buvait son liquide aigre, ça veut fort une femme enceinte. Et si je n'étais bonne qu'avec les trous ? Pourtant, même si je baisais avec des filles, j'étais attirée par Tchéky, un an et demi à mouiller ma petite culotte en écoutant ses mots de prof de littérature, un an et demi à tenter de le séduire par des travaux parfaits, un an et demi à jaser avec lui dans son bureau, dans des salles de cours, dans des restos, dans des bars, puis dans des salles de cinéma pendant que ma brèche s'agitait, attirée par lui à en avoir des points au cœur devant un plat de nouilles chinoises, un soir, alors qu'il était glacial avec moi parce que son éthique et son désir étaient en plein duel. Mais ça, c'était avant cette suite de chambres d'hôtel qui ne mènent à rien, car pour lui, c'est la même rengaine, ça ne veut rien savoir, sa queue reste trop souvent molle, comme un gâteau Pillsbury qui ne veut pas prendre, et moi, de mon côté, je ne suis guère mieux, ça mouille de moins en moins, mes organes sexuels s'atrophient, retournent à leurs origines, mon sexe est indifférencié, je suis un gars, une fille, j'ai les deux sexes en même temps, mais je ne m'autosuffis pas. Je pense que je vais me faire pousser des carottes dans les cheveux.

La soirée s'éternise, je suis toujours couchée nue en

dessous de mes cadeaux, je ne dis rien, il ne dit rien, il me serre contre son gros ventre blanc, caresse mon avant-bras tout en me donnant des baisers dans les cheveux. J'aurais tellement aimé qu'il réponde à ma foutue question, c'est pour ça que tout va de travers ce soir, c'est pour ça que je suis une mauvaise suceuse qui écorche la peau du prépuce avec ses dents, une mauvaise amante avec un corps qui s'articule mal, je ne suis pas capable d'oublier, de m'asseoir perpétuellement sur mes manques en espérant qu'ils étoufferont. On reste silencieux, lui dans son monde de théories, moi avec les Calinours et la barbe à papa.

Soudain, Tchéky recommence son manège, il roule sur moi comme une bille, m'embrasse partout, lèche mes seins qui ne pointent plus, tire sur les mamelons, encerclant les aréoles de ses grosses lèvres, passe ses mains derrière mon dos, me soulève, m'embrasse à genoux dans le lit, étire mes lèvres avec ses doigts, force ma brèche, je me laisse faire, mais mon cœur est mou, ça ne mouille plus. Il continue encore, mais j'ai la peau qui pique, et j'ai mal à la tête, et j'ai mal au cœur, et j'ai envie de faire pipi, je ne suis plus là, il faudra qu'il vienne me chercher ailleurs.

Il cesse la torture et vient me reconduire chez moi. Dès qu'on se quitte, dès que son auto commence à s'éloigner, ce qui était sur le point de s'éteindre s'allume à nouveau. Je cours comme une folle à lier de lui derrière sa Hyundai familiale quatre portes, je cours, je cours à en perdre haleine, je veux recommencer toute la soirée, les cadeaux, Angot, Ducharme, le livre d'enfant sur mes seins nus ; la chambre d'hôtel avec nos organes dysfonctionnels, ses doigts qui étirent la peau de ma brèche sèche, tout, absolument tout, redevenir la petite amante parfaite pour qu'il ait envie de me revoir, je n'aurais pas dû avoir des états d'âme, je risque de le perdre, le perdre, le perdre. Je cours encore plus vite, mais mon prof de littérature tourne les coins aussi vite qu'un pilote de Formule un, il ne me voit pas courir derrière son auto dans le soir et s'en retourne chez lui. J'entre chez moi à toute vitesse lui laisser un message sur son répondeur.

Bienvenue à l'Université de l'amour qui pédale dans le vide, English will follow. Si vous désirez joindre la personne que vous aimez plus que tout au monde, plus que vous-même, plus que votre petit vous minable, veuillez pitonner les numéros du poste suivis du carré.

Petit mot pour te dire que je t'aime énormément beaucoup, non, en fait, je t'aime point. Je t'aime. Je t'aime, Tchéky. Voilà, c'est dit. Je suis contente de t'avoir rencontré; là, je vais me coucher avec tous mes cadeaux et la senteur de ta queue sur mes doigts, bonne nuit. Demain, je me réveillerai et je serai vieille, ce sera ma fête, il faudra que l'on fête la tienne aussi, ta fête, mais comme j'ai une tendinite, je ne pourrai pas t'apporter cinquante-sept cadeaux, ce sera trop lourd pour ma main amochée, mais je vais quand même bien m'occuper de toi. J'ai hâte. Bonne fête, non, bonne nuit, c'est ma fête à moi, avant, pas la tienne.

* * *

Tout de suite après mon anniversaire, c'est le sien, mais inutile de sortir les petits chapeaux et les flûtes, il est parti fêter en Floride ses cinquante-sept ans, fêter à l'autre bout du monde. À cet âge-là, on fête en grand, loin des rumeurs de la ville et des yeux gigantesques d'une petite amante docile. En fait, il n'est pas tout à fait parti, pas officiellement, demain, il partira, mais pour moi, il est déjà parti depuis avant-hier. Il devait m'appeler à cinq heures, j'étais tout heureuse, je marchais dans les rues en me construisant des beaux châteaux en Espagne et, ô mon Dieu que je suis bonne là-dedans, j'ai mes lettres de noblesse là-dedans, je me disais dans quelques heures, il va m'appeler, j'entendrai sa voix, ses rires, son souffle dans mon oreille droite. Il ne m'a pas appelée, le salaud, j'ai attendu pourtant, la main au-dessus de l'appareil, prête à décrocher, il ne m'a pas appelée, un salaud que je dis ! Peut-être était-il trop occupé ? Sa femme, ses enfants, ses amis, ses responsabilités, ses milliers d'étudiants... Les heures ont passé, il ne m'a pas appelée, j'ai bu une bouteille de vin rouge, fumé deux joints et envoyé chier tous les gens à la télé, le vin n'a pas réussi à m'assommer, la drogue non plus. Je me suis couchée en envoyant chier mon oreiller et en me sentant nulle, mais je me suis couchée quand même avec l'espoir qu'il appellerait demain matin, me disant *Je m'excuse pour hier, je n'ai pas pu t'appeler, ma femme, mes enfants, les amis, les responsabilités...* Je me suis couchée avec cet espoir. Quand le réveille-matin a indiqué 11 h 11, j'ai fait un vœu : je souhaite que mon prof de littérature m'appelle demain matin.

* * *

J'aurais dû souhaiter dormir jusqu'en 2043, il ne m'a pas appelée, j'ai attendu, encore une fois attendu comme une idiote, comme une épaisse, comme une fille en mal d'amour, j'ai attendu à côté de l'appareil, mais rien, que le silence de l'appartement entrecoupé par le brouhaha des gens qui circulent dans les couloirs de mon bloc de mille étages. Lui ai-je dit quelque chose qu'il n'a pas aimé ? Ai-je été une si mauvaise amante ? Lui ai-je fait peur ? Ai-je été méchante ? Pas assez belle ? Pas assez souriante ? Est-ce que ? Est-ce que ?

J'ai fait mon lavage, changé la litière du gros chat jaune, épousseté, lavé les vitres, le bain, le calendrier, j'aurais passé l'aspirateur jusque chez le voisin pour que les minutes s'écoulent plus rapidement, il ne m'a pas appelée. Jeudi fut très long et très pénible, rien ne m'intéressait, la télé, trop animée, la musique, trop animée, les amis, trop animés, les livres, trop animés, j'avais l'air de Youppi quand il n'y a personne dedans, d'ailleurs, mes yeux roulaient, mais pas en même temps. J'étais complètement idiote, complètement.

Il a attendu le vendredi pour m'appeler, alors que j'étais rushée et que j'avais un article à finir, vendredi, neuf heures, heure où il est seul.

— Hier, je n'ai pas pu t'appeler. J'ai été malade. Très malade.

Même une grippe de chien, même une grippe de taureau, même une grippe d'éléphant ne m'empêcherait pas de l'appeler, je vomirais des aiguilles, je cracherais de la vitre que je trouverais la force de lui parler.

— Qu'est-ce que tu faisais, Kiki ?

— Je travaille.

— C'est la première fois que j'entends cette voix-là, une voix sourde et cassante, tu es fâchée ?

— Non, ça va.

— Tu es fâchée parce que je ne t'ai pas appelée.

— Je ne suis pas fâchée. C'est juste que je me suis sentie trou de cul.

Puis je n'ai plus envie de lui parler, d'ouvrir la bouche pour un vieux con qui à cause de la grippe n'est pas capable de prendre l'appareil pour me dire qu'il a la grippe et qu'il ne pourra pas me voir. Il me fait chier. Je n'ai plus envie de lui parler mais, en même temps, je suis incapable de raccrocher, je voudrais rester à l'appareil durant sept ans, lui à l'autre bout du fil, et faire mes activités, continuer d'écrire mon article, flatter le gros chat jaune, sortir les déchets dans des sacs de plastique bruns ou verts de soixante centimètres, sans m'en préoccuper, le faire niaiser à son tour, le faire poireauter comme une belle betterave. Pourtant, c'est lui qui trouve le moyen de raccrocher le premier. Crisse !

Mon cœur toujours déshabillé devant lui grelotte, je cesse toute activité : l'écriture de l'article, le flattage du gros chat jaune, le ramassage des déchets, et je vais me coucher dans mon lit mort, j'ai tellement froid, il faudrait que je me couche avec le soleil pour recouvrer un peu de chaleur. Tout à coup qu'il veut se débarrasser de moi, mais qu'il ne sait pas comment faire ? Peut-être a-t-il peur de me dire qu'il ne me veut plus dans sa vie, parce qu'il craint les représailles, que je lui fasse du chantage émotif, que je menace de le dénoncer à l'université, de rendre publique notre maudite relation toxique, de dire des choses fausses sur notre relation, qu'il a profité de sa supériorité de prof pour me faire des avances, me mettre dans sa poche et me baiser, qu'il m'a promis des A+ si j'exécutais tout ce qu'il voulait, des A+ pour me voir nue marcher à quatre pattes dans une chambre d'hôtel et lui lécher les pieds ? J'étais trop bien dans mon lac d'étoiles, maintenant il est temps que je me noie. Je prends une grande respiration, et m'enfonce la figure dans l'oreiller.

* * *

Je n'aurais pas dû souhaiter qu'il se passe quelque chose pour changer le cours des choses, je n'aurais pas dû, car là, ça y est, quelque chose d'énorme vient d'arriver, le ciel vient de me tomber sur la tête avec les avions, les comètes, la Voie lactée, les planètes. J'ai une boule qui prend de plus en plus de place en moi, une boule dans la brèche, une boule dans l'endroit qu'il délaisse le moins pourtant, une boule dans l'endroit où il s'affaire le plus souvent pourtant, et je n'hallucine pas, je ne me fais pas d'idées, je ne m'invente pas une pourriture de brèche pour attirer l'attention, le médecin qui tâte, palpe, pétrit la boule le confirme :

— Il y a vraiment une masse sur le col de votre utérus. Je fais un prélèvement, on aura les résultats dans deux semaines.

Je descends l'avenue Papineau, mes jambes semblent régies par un mécanisme de marche rouillé, j'avance en reculant, en fait, ce n'est pas moi qui marche, ce n'est pas moi qui se dirige vers mon bloc de mille étages, c'est quelqu'un d'autre, une autre fille blonde seule qui crève d'amour pour son prof de littérature avec une brèche qui pourrit, non, ce n'est pas moi. Moi, je n'ai pas de boule dans la brèche, moi, je ne peux pas mourir, je ne peux pas avoir un col de l'utérus méchant qui va me gruger à petit feu, répandre des métastases partout jusque dans mes dents pour me détruire, je ne peux pas mourir, c'est impossible. Dès que j'entre chez moi, mes larmes tombent à verse, elles pleuvent de moi. J'appelle des amis, *S'il vous plaît, occupez-vous de moi, s'il vous plaît, je vous en supplie,* mais personne n'est là et puis, de toute façon, même si je réussissais à joindre des amis, que pourraient-ils faire? Venir dans mon quatre-et-demi dans mon bloc de mille étages me dire que je m'en fais pour rien, me demander de leur montrer cette boule, puis ils toucheraient la boule de leur doigt, puis de leur main, puis de leur bouche, car ils ne pourraient pas s'en empêcher, ma brèche pourrie les exciterait, pas moi, mon mal les exciterait comme mon manque d'amour les a toujours fait bander. *J'ai peur toute seule chez moi, est-ce que vous pourriez passer du temps avec moi?* On passe du temps avec moi, oh oui, même sur moi, nu. *J'ai perdu ma mère folle à lier et ma grand-mère, est-ce qu'il y a quelqu'un pour m'entourer de ses bras?* Oh oui, quelqu'un m'entoure de ses bras et partout partout jusque dans mes petites culottes. Elles sont ainsi mes relations avec les gens.

Je m'assois au pied de mon lit, les mains jointes, *Mon Dieu! Occupez-vous de moi, j'ai peur, je ne veux pas mourir, pas tout de suite, je veux au moins goûter une fois à une vie normale avec mon prof de littérature, dans un lieu qui serait ma maison, pourquoi pas dans un grand appartement à Outremont, oui, un grand appartement à Outremont, avec des planchers de bois franc et sur les murs des milliers de dessins d'enfants de la petite descendance que j'aurais avec mon prof de littérature, je ne peux pas mourir tout de suite, je ne peux pas.* Si jamais cette boule n'est pas maligne, qu'elle ne me veut aucun mal, je me jure d'avoir un bébé de mon prof de littérature, un petit clone de lui, *clownons-nous, mon amour*, que je vais lui dire, je ne veux pas finir ma vie seule, délaissée dans un quatre-et-demi dans un bloc de mille étages, oui, je me le jure.

J'aurai mes résultats dans deux semaines, deux semaines à penser à ma mort, deux semaines à pleurer dans mon lit mort. Il faut que je profite de la vie, mais la seule chose que je trouve à faire, c'est de me soûler la gueule au vin rouge, du vin rouge tous les jours, du matin au soir, tout en travaillant, des tonnes d'articles qui parlent de l'avenir des chanteurs et des acteurs, alors que mon avenir ne va pas plus loin que le bout de ma brèche pourrie. J'écris, je pleure, j'écris, je pleure, j'écris, je pleure, il n'y a pas de congé pour ceux dont la mort est presque annoncée.

* * *

Puis, un matin, Tchéky appelle du bout du monde.

— Kiki, j'ai essayé de t'appeler avant-hier, hier...

— J'ai quelque chose au col de l'utérus, j'ai peur.

— Je me doutais que tu avais quelque chose, je ne sais pas pourquoi, mais je m'en doutais... Mais je ne pensais pas que ce serait physique. Des chercheurs ont dit que les gens qui souffrent, mais dont l'entourage prie pour eux, se rétablissent plus vite. As-tu des amis qui peuvent prier pour toi ?

— Je ne crois pas.

— Moi non plus, ce n'est pas mon fort. Mais en tout cas, sache que je suis là. Je suis là.

Oui, il est là, à l'autre bout du monde, oui, là, mais tellement loin, tout le temps là, loin.

— J'ai peur, Tchéky.

— Il faut que je raccroche, je n'ai plus de minutes sur ma carte d'appel.

— J'ai peur.

— Je dois raccrocher. Salut Kiki.

Le son de la ligne non raccrochée fait un bruit d'enfer, il se rajoute aux sirènes d'ambulance dans ma tête. L'appareil est resté dans ma main, je me sens seule, je me sens seule, je me sens seule, je voudrais tellement ne plus penser à ma brèche pourrie, ne plus penser à Tchéky qui dit qu'il est là, mais qui pourtant passe son temps à se sauver de mes bras, ne plus penser à rien, ça me semble impossible et pourtant je réussirai à tout oublier pendant quelques heures, le lendemain, ma psy, ma douce marraine me prendra par la main et ressuscitera la petite Cendrillon.

Et ce sera le coup de grâce à ma masse étrangère, mais seulement pour quelques jours. Je sortirai du bureau et une citrouille transformée en carrosse m'attendra, je serai redevenue moi-même, un personnage de roman invincible, immortelle, le personnage d'une histoire en train de s'écrire, un petit clown.

* * *

Mes résultats sont reportés d'une semaine, les laboratoires sont engorgés, tout le monde attend des résultats, tout le monde s'inquiète ; moi, j'arriverai à survivre de mon inquiétude, surtout que Tchéky est revenu du bout du monde. On s'est donné rendez-vous chez moi pour fêter son anniversaire, j'ai tout préparé, le fromage à raclette, la viande à raclette, les légumes à raclette, tout est prêt.

À cinq heures, il arrive, ça fait une éternité que l'on ne s'est vus, ses cheveux sont encore plus longs que la dernière fois. Dès qu'il entre, sa bouche cherche ma bouche, sa langue cherche ma langue, il ouvre très grand, trop grand sa bouche, mes lèvres se perdent sur son palais, je n'ai plus l'habitude de lui, ma façon de l'embrasser manque d'exercice.

— J'avais oublié combien tu pouvais être belle, dit-il.

Moi, j'avais oublié combien j'étais folle à lier de lui, combien j'avais besoin de sa main dans ma main, de sa langue dans ma bouche, de son sourire comme sur sa photo derrière son dernier recueil de poèmes, je pense à tout ça, mais je ne le lui dis pas, je ne veux pas qu'il s'installe trop facilement sur mon divan, qu'il mette trop aisément ses mains dans mon soutien-gorge. Je me lève pour aller chercher quelque chose à boire, il se lève pour goûter mes lèvres encore une fois, mais ma bouche fuit, je ne veux pas de ses baisers, du moins pas tout de suite, je suis nerveuse, trop nerveuse, je parle, je parle, je parle, je m'étourdis de mots, je voudrais que la soirée soit déjà terminée, qu'elle ne soit plus qu'un souvenir. Vite, vite, trois, quatre verres de vin rouge et les images se fixent, les images et les gestes aussi, tout devient plus lent, même mon strip-tease tantôt sera plus lent, moi assise sur lui à enlever mes vêtements sur la musique des Beastie Boys, *So what'cha what'cha what'cha want what'cha want*, un cadeau de lui, et mon cadeau de moi : une manche, puis une autre manche, le soutien-gorge qui voltige dans les airs, et ma main qui prend sa main pour l'emmener dans mon lit, et puis moi en petit bonhomme la vie vouée pour toujours entre ses genoux, lui assis, le jeans en tas sur les chevilles, ma langue qui dessine des petites traces de bave sur ses poils blond cendré et gris, et ma bouche qui prend tout, chair, bave, spasmes et jets. Premier cadeau.

— Maintenant, viens voir ton deuxième cadeau, mon Tchéky.

Une petite fildeferiste et sa biche abandonnée en porcelaine sur un fil dans le vide, une petite fildeferiste et sa biche abandonnée aussi fragiles que moi, avec des grands yeux à faire peur, pour qu'il se souvienne que je suis belle et bien dans sa vie.

La soirée est finie, Tchéky est parti. C'est un souvenir que je n'aurai pas besoin d'inventer, un vrai souvenir. Je ne sais pas quand on se reverra, mais ce sera bientôt, dans les jours qui viennent, en attendant, je me raconte toutes sortes d'histoires, je me construis des beaux châteaux en Espagne avec des carreaux en marbre brillant sur lesquels je me déplace nue à quatre pattes devant Tchéky, mes cheveux blonds brillant sur mon dos qui bouge langoureusement, ma peau or qui se couche sur son corps et mes doigts qui jouent dans sa bouche pour y découvrir des petits diamants. Tchéky sourit et me raconte de belles histoires de princesse à la brèche d'or. Il m'aime.

* * *

La gynécologue entre le spéculum, écarte les parois vaginales, une brèche défigurée, mes yeux se perdent sur le blanc jauni des murs de l'hôpital Notre-Dame. La paume bien à plat sur mon ventre, la gynécologue tâte, palpe, pétrit, elle cherche la boule, la peau s'étire, le ventre se creuse, une crevasse dans mon corps, elle retire le spéculum, retourne à son bureau, regarde mon dossier dans lequel se trouvent mes résultats, je me rhabille à toute vitesse, m'assois devant elle et attends le verdict en retenant mon souffle, la gorge serrée par un lasso d'acier, l'inquiétude m'a reprise. Je fixe le néant du plafond, des images m'envahissent, moi, avec une boule dans la brèche, qui me mange, me dévore, et je maigris, et je maigris, je perds mes cheveux à cause de la chimio, je suis de moins en moins attirante, amaigrie et sans cheveux, j'en perds même mes dents, elles se déchaussent toujours à cause de la chimio et de la radiothérapie, je n'ai presque plus de conversation autre que sur ma mort annoncée, je ne suis plus belle et je n'ai plus l'énergie pour me servir de ma brèche ; de toute façon, elle pourrit à une vitesse vertigineuse. Alors mon prof de littérature vient de moins en moins me rendre visite, ça lui est trop dur de me voir dépérir de la sorte, je fais pitié, il trouve, mais, comme il ne sait pas quoi faire pour m'aider, il préfère s'éclipser peu à peu de ma vie, espacer les rendez-vous, une fois par deux semaines, une fois par mois, une fois par trois mois, les excuses : trop occupé, les enfants, les devoirs, les conférences, les essais à rédiger et la poésie de la vie à écrire, pas la poésie de la mort. Alors moi, la fille à qui il s'est intéressé à cause de son enfance de coquerelle, je finis justement en cafard, desséchée, déshydratée, pâle sous les gros néons de la chambre d'hôpital, seule avec une boule d'angoisse dans la brèche comme la pomme pourrie incrustée sous la peau de Gregor Samsa. Alors que je suis en train de voir le film de mon enterrement et que je me demande qui prendra soin de mon gros chat jaune, la gynécologue m'apprend que ce n'est pas la mort qui m'habite, *Tout est beau, aucune masse, un caillot de sang dû à vos règles*, elle me le répète plusieurs fois : *Pas de masse ! Vous êtes sûre ? Pas de masse ! Vous êtes sûre ? Pas de masse ! Pas de masse ! Pas de masse, qu'un caillot dû à vos règles ! Vous êtes sûre ? Oui, bordel !* Je dois bien être la fille la plus menstruée à l'est de Papineau ! Je le savais, que j'avais des problèmes avec mes règles, que c'est de famille, qu'on est toutes déréglées chez moi, mais à ce point ! Mon Dieu ! Une hystérectomie est à considérer, mes menstruations vont bien finir par me casser une jambe ! En tout cas, je n'ai rien, alors ça se fête. Vite, du vin ! Vite, des amis ! Vite, la vie ! Vite, vite, Tchéky. Et ne surtout pas oublier la promesse que je me suis faite.

TROISIÈME PARTIE

La femme-canon dans la cage aux lions

Fuck mon prof de littérature, fuck mon vieux croûton, fuck les hommes mariés qui flirtent avec des fillettes au trou rose sans malice, fuck l'amour, fuck le discours amoureux, fuck l'idiote qui attend comme une cave à côté du téléphone qui dort, fuck le petit caniche qui fait wouf wouf et des vrilles arrière quand son maître claque des doigts, fuck tout ça, fuck, fuck, fuck, fuck, fuck, fuck, fuck, fuck, fuck, fuck, je suis enragée, je suis rouge de rage, fuck ma rage, fini la gourde en mal d'amour qui attend les jambes grandes ouvertes, la brèche bien en vue afin que son prof de littérature vienne y mettre ses doigts, fuck moi, fuck Tchéky K., je ne veux plus être la petite connasse qui passe ses journées comme une débile à côté d'un appareil qui ne sonne pas et qui a perpétuellement mal dans son ventre tellement elle se sent seule, fuck ma boule d'angoisse, fuck tout ça, je ne veux plus être ça, c'est fini, niet, no, non ! J'ai décidé de changer toute ma vie, j'ai donc tout mis à l'envers pour mieux y mettre de l'ordre, j'ai commencé par mon quatre-et-demi dans mon bloc de mille étages, mon petit habitat naturel, j'ai changé tous les meubles de place. J'ai mis mon ensemble de cuisine dans la chambre, mon salon à la place de la cuisine et mon lit dans mon salon ; soudain, mon lit m'a même paru vivant, oui, vivant, malgré la blancheur de ses draps et de ses oreillers, il trône majestueusement en plein milieu du salon, dans l'espace entouré de murs bleu marine, ça fait étrange, on se croirait chez Sol et Gobelet. J'ai des amis qui ont peint leur salon comme chez Sol et Gobelet, tout en noir, avec un cadre de clown de Muriel Millard suspendu dans les airs, et pour que ce soit encore plus kitsch, ils ont mis un buste d'Elvis Presley, près duquel ils font des séances de spiritisme, ils ont même tenté de contacter l'esprit de Kurt Cobain, ces amis sont de drôles de pistolets ! Mon gros chat jaune en est tout retourné, en vrai petit autiste poilu, il ne veut plus sortir du bureau, la seule pièce à laquelle je n'ai pas touché, la seule pièce qui lui soit encore familière, qu'il reconnaisse. J'ai aussi changé mes habitudes de vie, question de me perdre aussi dans mon quotidien : je me réveille à quatre heures du matin, quatre heures plus tôt pour profiter du silence, les autobus n'ont pas encore commencé à passer bruyamment devant chez moi, la houle de la rue Sainte-Catherine est inexistante, le temps semble en arrêt. Mes habitudes alimentaires en ont pris un coup aussi, je mange quand j'ai faim et n'importe quoi, fini les régimes sans patates, sans pain, sans pâtes afin d'avoir un joli cul pour qu'il vienne y jouer, y mettre son gros nez, fuck lui et fuck mon cul ! Et j'ai changé ma manière de m'habiller, je porte mes jupes sur la tête, mes pantalons à mes bras et mes petits culottes sont mes soutiens-gorge. Il ne m'a pas appelée de la journée, basta! m'en fous! Fuck le téléphone, fuck Bell!

Hier, pour la première fois, je me suis fâchée contre mon prof de littérature, oui, pour la première fois, je lui ai dit que je voulais avoir un enfant de lui, que je voulais voir mon ventre enfler de lui, que je m'étais fait une promesse et qu'il fallait que je la tienne, que c'était une question de vie ou de mort.

— Je ne peux pas élever d'enfant avec toi, j'ai déjà trois enfants!

Oui, trois beaux enfants qui l'attendent dans le salon tout souriants, comme des petits anges, dans sa si belle maison du Plateau Mont-Royal, tous cordés en rang d'oignons devant lui qui rentre et les regarde, la queue dégoulinante de mon liquide et de son foutre.

— Je pourrais ne plus faire attention, Tchéky, je pourrais m'égarer dans mon cycle menstruel, oublier de compter les jours où tu peux mettre tes petits spermatozoïdes dans mon bedon. Fuck la méthode Ogino-Knaus!

— Kiki… je vais me faire vasectomiser.

— C'est ça! Va te faire vasectomiser jusqu'à la région frontale! Fais-toi enlever la vésicule biliaire tant qu'à y être!

Voilà, c'est comme ça que ça s'est passé. On était au Porto, juste en bas de l'endroit où je suis née, dans mon berceau quasi originel, et j'étais vraiment le nombril du monde à ce moment-là, et j'avais le nombril du monde bien droit devant lui. J'étais noire de colère, mes manques sortaient de ma bouche comme des couteaux acérés, j'en avais gros sur le cœur, des mois de docilité, des mois de petite fille qui acquiesce à tout pour ne pas perdre son amour, qui se fend la brèche en quatre pour avoir un peu d'attention, qui s'ouvre les jambes à l'infini croyant ainsi toucher le paradis.

— Non, Kiki… Pas de bébé.

J'ai failli lui verser mon verre d'eau sur la tête, il a fallu que je me retienne à deux mains, mais j'aurais dû, j'aurais dû.

— Je veux un bébé de toi, Tchéky. Je veux un petit Tchèque qui met de l'écho dans ses *k*, un bébé aux cheveux blond cendré sale qui m'appelle maman, qui vomit sur mon épaule et qui chie sur les draps blancs de mon lit, je veux un petit braillard de toi pour combler ton absence.

— J'ai déjà trois enfants. Comment je ferais : deux femmes, quatre enfants ?

— Et une souris verte !

— Tu veux ma mort ?

— J'aurai notre enfant, Tchéky. Si ce n'est pas avec toi, ce sera avec un autre, mais j'aurai notre enfant ! Fuck toi !

Et je suis sortie, eh oui, sortie, jamais je ne m'en serais crue capable, jamais je ne me serais cru cette force-là qui me donne des ailes de béton armé, des ailes avec lesquelles je peux frapper les gens qui me font chier ; c'est incroyable ce que ça peut changer les choses se donner le droit de devenir enfin quelqu'un, quelqu'un, pas juste une petite brèche qui doit sourire perpétuellement pour être aimée. En tout cas, c'était notre première chicane, c'était aussi la vraie première demande sur laquelle j'insistais, pour laquelle j'avais droit à une réponse, oui ou non, pas comme la dernière fois *Quitterais-tu ta femme pour moi ?*

question à laquelle il n'a jamais répondu, il a laissé le silence flotter sur le dos des papillons. Là, je suis dans mon quatre-et-demi et je me fous de mon prof de littérature, je m'en fous comme de l'an quarante, fini la cave qui passe son temps à attendre, je vais rencontrer quelqu'un d'autre, je vais me mettre sur le marché, je vais faire une belle petite boulette de viande hachée de moi, pas cher le kilo. Oui, je vais rencontrer un beau prince charmant en collant et on va faire la fête, la fête, on va continuellement se balader avec des petits chapeaux de fête de toutes les couleurs sur la tête et des flûtes dans la bouche, on va faire la fête, tout nus dans le lit avec nos petits chapeaux et nos flûtes, et on va même se les mettre sur la queue et dans la brèche, les petits chapeaux et les flûtes, tout ça devant une caméra, car je vais tout filmer, oui, oui, comme ça mon prof de littérature pourra voir la conception de notre bébé, à moi et à lui. Il va avoir un bébé qu'il le veuille ou non, un beau petit junior à notre image, un beau petit bébé de papier.

* * *

On s'attache aux beaux garçons, ils sont comme des petites bêtes attendrissantes, comme des petits minous mal nourris, moi, je me suis attachée au mien, de beau garçon. Au début, je n'y croyais pas, de toute façon, je suis du genre incrédule devant les beaux, ça doit me venir de ma vieille mémé psychotique : *La beauté s'en va, mais la bête te reste ! C'est pas la beauté qui apporte à souper !* Mais lui, oui, justement, il apporte à souper et des bons soupers, des soupers dans des restaurants chic, chez Toqué où j'ai commandé du foie gras qui fondait dans la bouche, du canard à l'orange et du fromage qui pue, d'ailleurs, je m'en suis même foutu dans les cheveux, du fromage qui pue, en mangeant, et ça ne l'a pas rebuté, oh non ! le prix de notre souper non plus ne l'a pas repoussé : deux cent cinquante dollars pour deux, le montant mensuel de mes remboursements de dettes de prêts étudiants. En plus d'être beau, le beau monsieur que j'ai rencontré est riche comme Crésus, il se balade en Porsche noire, il a les poches bourrées de pognon et il n'y a pas grand-chose qui le rebute chez moi, même pas une mèche de cheveux qui sent le fromage qui pue. Non, ce qui pue, il le met dans sa bouche des heures et des heures, c'est une vraie limace qui aime la senteur de ma brèche, même quand je ne me lave pas, même quand il m'a baisée jusqu'à plus soif une journée durant, il n'est pas comme mon prof de littérature qui veut à tout prix que je sois propre comme un sou neuf, quasi aseptisée, que je n'aie aucune odeur, que je me frotte au gant de crin au moindre changement hormonal.

Quand j'ai dit à mon prof de littérature combien ça avait coûté chez Toqué à mon beau monsieur, je crois que ça l'a vexé : deux cent cinquante dollars tiens-toi, mon Tchéky ! Ça faisait deux semaines que nous ne nous étions pas parlé, deux semaines, j'en barrais les dates sur le calendrier au crayon feutre rouge, ma petite fierté. Pour la première fois de notre vie de couple illicite, je ne l'ai pas appelé, les deux mains emmitouflées dans des grosses mitaines d'hiver pour être sûre que l'envie de prendre l'appareil et de composer le ***-**** fatidique ne me prenne subitement. Devant mon silence, mon prof de littérature a craqué et m'a téléphoné, il a voulu savoir pourquoi je ne lui donnais pas signe de vie, si c'était de la bouderie et, si c'était le cas, était-ce une bouderie amoureuse, pharmaceutique, médicale, hormonale, syndicale? Il voulait me tirer les vers du nez en me taquinant, mais comme je ne parlais pas, il a dit qu'il était incapable de se passer de moi, qu'il s'ennuyait de mes appels, de ma petite voix, de mes petits rires de souris, il a dit aussi que j'étais quelqu'un d'exceptionnel, *Pourquoi tu n'es pas avec moi non-stop, d'abord? Pourquoi tu ne me fais pas un bébé, d'abord?* Silence. Alors, je lui ai raconté qu'il y avait un jeune homme qui semblait s'intéresser à moi et qui m'avait emmenée manger chez Toqué, un jeune homme bien dans son corps, beau comme un prince charmant de conte de fées, sans bedon qui fait quatre plis avec un nombril qui regarde par terre quand il est assis, et qui n'est pas marié jusqu'aux oreilles, lui, qui est libre comme l'air, lui, libre de me voir quand il veut, de débarquer chez moi et d'improviser un pique-nique dans mon lit, avec une nappe à carreaux rouge et blanc, du vin et du poulet . En fait, non, je ne lui ai pas dit tout ça, seulement qu'il y avait un jeune homme qui s'intéressait à moi, juste ça, pour qu'il se torde de douleur un peu, qu'il se rende compte que je ne lui appartiens pas et que, s'il ne fait pas attention à moi, il peut me perdre, me perdre, me perdre, que je pourrais tomber amoureuse ailleurs, que c'est possible en ce bas monde. Après un silence d'éternité, il m'a dit salut et a raccroché, me laissant seule avec le *la* du téléphone et ma peur de le perdre pour toujours. Alors pour ne pas trop y penser et que ma boule d'angoisse en profite pour grandir encore dans mon ventre jusqu'à se transformer en pays dépendant, je me suis répété mon nouveau mantra : Fuck mon vieux croûton ! C'est ça, qu'il s'en fasse un peu, assis dans son fauteuil en cuir de vache espagnole dans le salon de sa si belle maison du Plateau Mont-Royal, après tout, il ne veut pas passer les vingt-cinq prochaines années de sa vie avec moi, il ne veut pas que je lui frotte les rhumatismes dans dix ans ni que je le promène en chaise roulante, sa poche de pipi accrochée aux barreaux, quand il ne pourra plus marcher ni faire ses besoins, alors qu'il se fasse du mauvais sang, vieux croûton, va ! Et puis ce n'est pas lui qui m'emmènerait dans des restos comme ça, lui, il m'emmène plutôt dans des bistros « apportez votre vin », pour peu, on irait dans des restos « apportez votre vin, votre bouffe et votre table » s'il pouvait épargner un dollar, il nous confectionnerait des petits sandwichs au jambon avec des crudités et une trempette économique d'une marque bâtarde. Il faut qu'il économise, mon prof de littérature, il a une grosse famille.

Mon beau monsieur est jeune, il a trente-six ans et toutes ses dents, même s'il les trouve grises ; d'ailleurs, il veut aller chez le dentiste se les faire blanchir, il veut sourire à belles dents dans la vie, il veut être encore plus beau, c'est pour ça qu'il se met de la crème hydratante Biotherm dans le visage pour resserer les pores de sa peau, qu'il trouve trop dilatés, il veut même aller se faire électrolyser les pores du nez si la crème ne fait pas son job, électrolyser, c'est mieux que vasectomiser, moi, je n'ai rien contre, je suis une fille pratique ! Il s'est même fait enlever une tétine dans le visage, il s'occupe de sa personne, mon beau monsieur, il ne lit peut-être pas Kafka, et pour lui toute l'œuvre de Tolstoï ne parle que de la Russie, mais il a un beau body, il ne veut pas vieillir, et ça, ça se sent. La première fois que je l'ai vu, je l'ai tout de suite su, il était en jeans et t-shirt, mal fagoté, ou plutôt d'un négligé calculé, ses cheveux longs dansaient derrière sa tête. J'étais à la Brûlerie Saint-Denis qui n'est pas rue Saint-Denis, mais rue Drummond, quand il s'est pointé à ma table, *Bonjour, mademoiselle, je vous regarde depuis tantôt et je me disais...*, le blablabla traditionnel de la drague. C'est alors que je l'ai coupé et que j'ai entendu ma bouche dire des choses que je ne me croyais pas capable de dire :

— Es-tu safe ?

— Euh... Quoi ?

— Es-tu safe ? Safe ?

— Safe ?

— Safe comme dans le genre négatif ?

— Ah ! Ce safe-là... euh, oui...

— Moi aussi ! Alors, tu m'emmènes à l'hôtel ?

La première fois qu'on s'est retrouvés à l'hôtel, mon beau monsieur et moi, ça ne s'est pas passé comme je l'avais prévu, on ne s'est pas déshabillés partout dans la chambre, le pantalon au pied du lit, le soutien-gorge sur la lampe, ni empoignés passionnément comme dans les films, les langues qui s'attardent, la bave qui coule partout, sa bouche qui dévore mes seins pendant que mes ongles s'ancrent dans son dos, et sa queue qui entre et sort avec frénésie jusqu'à ce qu'elle asperge ma brèche de foutre et qu'enfin j'aie l'enfant de mon prof de littérature dans mon ventre, mon bébé littéraire. Non, je suis tombée sur un romantique qui a l'amour tatoué dans le front, le genre qui veut qu'on se parle, qu'on apprenne à se connaître avant de se donner l'un à l'autre, oh la la, deux jours à attendre. On ne s'est pas déshabillés au complet, on a juste enlevé nos hauts, je suis restée en jupe et lui en pantalon, et on s'est minouchés, minouchés longtemps, longtemps dans la chambre 808 de l'Hôtel du Parc. Ma brèche était remplie de spasmes, mon ventre se soulevait à tout bout de champ pour l'attirer, pour lui signifier qu'il pouvait entrer en moi, ma main agrippait sa main aux deux minutes pour l'amener dans ma petite culotte. Sans résultat, il s'obstinait à me minoucher et à me poser des questions, des caresses et une inquisition.

— Qu'est-ce que tu fais dans la vie?

— J'écris. Je suis journaliste et j'écris.

— Tu écris quel genre d'histoire?

— Le genre où tu risques de te retrouver dedans.

— Wow! J'aimerais ça être un personnage de roman.

— Je n'en suis pas certaine. Et toi, qu'est-ce que tu fais?

— Des petits slogans. En fait, j'en faisais, là, je dirige, je suis directeur de la création dans une agence de pub.

— Pourquoi tu m'as abordée?

— Parce que tu avais l'air fragile. Et toi, pourquoi as-tu voulu qu'on aille si vite à l'hôtel?

— Parce que je veux un bébé.

Évidemment, ça n'a pas tardé, il s'est rhabillé comme s'il avait un avion à prendre dans une heure et qu'il venait de se le rappeler, il s'est rhabillé vite vite, mais il a quand même tenu à avoir mon numéro de téléphone, mon adresse, mon code postal, mon adresse électronique, mon numéro de fax, j'ai même failli lui donner mon numéro d'assurance sociale et d'assurance-maladie, et il est venu me reconduire dans sa Porsche noire. Puis il s'est mis à m'appeler, à m'écrire, à me faxer, j'avais des messages de lui partout. Je suis certaine qu'en ce moment il y a des bouteilles qui contiennent des messages de lui et qui flottent quelque part sur l'océan. Pour peu, il se serait mis à l'élevage du pigeon voyageur, si je n'avais pas répondu à un de ses appels dans lequel il m'invitait à faire des tas de choses avec lui : cinéma, bouffe, promenade... Je pense que la paternité le taraude.

C'est comme ça que ça a commencé avec mon beau monsieur : cinéma, bouffe, promenade, sourires, caresses, et encore des sourires, et encore des caresses, et des gestes de plus en plus sérieux qui font souffrir, lui surtout. Au début, quand il s'est mis à me fréquenter, il avait une copine toute douce, qui ne prenait presque pas de place, qu'il m'a dit, une copine comme une plante verte en plastique, qui l'attendait tous les soirs sagement étendue dans leur lit conjugal, entre la fenêtre et le placard en miroir. Mais mon beau monsieur, n'en pouvant plus de ne pas me voir comme il le souhaitait, de ne pas pouvoir me mettre sa queue et sa langue dans la bouche quand il le souhaitait, a laissé sa copine dans les pleurs, les cris et les portes qui claquent, il l'a laissée à genoux par terre dans le corridor. Et maintenant, il habite partout chez ses amis, des riches qui ont des grosses cabanes à Westmount, chez ses parents, des riches qui ont des grosses cabanes à Westmount, et dans des chambres d'hôtel. Je crois qu'il espère que je l'inviterai à s'installer dans mes draps blancs, mon beau monsieur, mais moi, je ne veux pas, je dois garder la place libre pour mon amour, pour mon Tchéky, car la place lui appartient, oui, elle lui appartient même s'il n'en veut pas parce que je l'ai déjà partagée avec d'autres, et qu'il est jaloux, enfin je crois.

En tout cas, c'est comme ça que ça a commencé avec Monsieur marque de soupe poulet et nouilles, car il a un nom de marque de soupe poulet et nouilles, il a un nom qui le prédestinait à travailler en pub, moi, j'ai un nom de trou, un nom qui me prédestine à passer ma vie couchée dans des chambres d'hôtel, les jambes grandes ouvertes. Et là, ça continue, ça redouble, des chambres d'hôtel avec mon prof de littérature, des chambres d'hôtel avec mon beau monsieur, je me déshabille, je me couche dans un lit inconnu, j'ouvre les jambes et mon prof de littérature ou mon beau monsieur insère sa queue dans ma brèche et donne des coups de bassin : pouc ! pouc ! pouc ! Parfois les deux dans la même journée, deux chambres d'hôtel différentes, deux queues étrangères qui fouillent ma brèche, mes bras s'ouvrent et se referment sur leur corps, l'un s'enlève et l'autre se couche, mes jambes restent presque toujours ouvertes, une heure, deux heures, trois heures, et ça recommence, une heure, deux heures, trois heures, du foutre plein la brèche pour avoir un petit bébé. Il m'arrive de ne pas me laver, de ne pas enlever leur foutre, leur senteur sur ma peau, l'odeur de leur sexe tout le tour de ma bouche lorsqu'il faut que je les aide à devenir durs, ils se prélassent dans les cellules mortes de l'autre sans le savoir, leur langue récolte les baisers de l'autre, leurs mains effleurent les caresses ennemies. Parfois, quand ils quittent la chambre d'hôtel et qu'ils me laissent seule dans les draps salis, j'ai envie de me lever et d'aller nue dans les corridors, cogner aux portes afin d'inviter des tas d'hommes à venir se coucher sur moi et à insérer leur queue dans ma brèche, du foutre plein mon ventre pour noyer ma boule d'angoisse. Je suis une vraie petite salope, mais c'est pour une bonne cause : je veux un bébé de mon prof de littérature, je veux un bébé de mon amour et qu'il m'aime et qu'il m'aime et ne plus me sentir seule, abandonnée, orpheline. J'ai le droit moi aussi d'avoir une famille, une belle famille unie comme sur les calendriers religieux, et de manger de la soupe aux légumes à table avec mon amour et mon bébé, les dimanches d'hiver quand il fait moins quarante dehors, un bain de chaleur dans du bouillon de légumes.

* * *

Au début, c'était très compliqué toutes ces rencontres cachées, je ne savais plus où donner de la tête, j'étais constamment nerveuse, vivant dans la crainte que mon prof de littérature et mon beau monsieur se rencontrent, que l'un sonne à ma porte pendant que l'autre, à genoux devant moi, lèche ma brèche offerte sur le futon. Heureusement, maintenant, c'est moins compliqué, Tchéky est au courant que je fréquente un autre homme, car même s'il savait qu'un garçon m'avait emmenée manger dans un resto chic, il ne savait pas que ce même garçon avait fini par mettre sa tête entre mes cuisses, non, il ne le savait pas, mais je le lui ai dit, je n'allais certainement pas le lui cacher, je n'allais pas faire comme toutes les fois où j'ai mal dans mon ventre et qu'il n'en a pas la moindre idée, car il ne lit pas entre les lignes. Non, là, je tenais à ce qu'il le sache, je tenais à ce qu'il se torture, qu'il se morde l'intérieur des joues quand il est seul dans son salon de sa si belle maison du Plateau Mont-Royal et que sa femme et ses trois enfants dorment, qu'il se morde les lèvres devant sa télé qui n'est pas allumée le vendredi à minuit, lui en cage, emprisonné par sa vie d'homme marié jusqu'aux oreilles ne pouvant rien faire pour colmater ma brèche, pour l'empêcher de se faire pénétrer par un éleveur de slogans. Je voulais qu'il ait un petit peu peur de me perdre, qu'il sache qu'on s'intéresse à moi, qu'un gars riche et beau s'intéresse à moi, que je vaux peut-être la peine d'être aimée, qu'on peut m'aimer, moi, la petite toute seule qui habite un monde rempli de Calinours et de barbe à papa.

Quand j'ai annoncé à mon prof de littérature que j'avais couché avec mon beau monsieur, c'était lors de notre première nuit ensemble, notre première nuit officielle à pouvoir dormir dans les bras l'un de l'autre. Sa femme avait amené les enfants à Ottawa voir leurs grands-parents, on s'était retrouvés dans une chambre du Méridien en haut du Complexe Desjardins. Quand je le lui ai dit, il était couché sur moi et m'écrasait de tout son poids de prof d'université, il s'apprêtait d'ailleurs à insérer sa queue dans ma brèche, c'est à ce moment-là précis que je lui ai balancé : *Tchéky, j'ai couché avec Monsieur marque de soupe poulet et nouilles.* Qu'il souffre un peu, qu'il débande pour quelque chose, non pas parce que ma brèche de jeunesse l'effraie ou parce qu'il se sent coupable de tromper sa douce moitié pendant qu'elle fait ses petites activités en pensant à son homme fidèle comme un pape. Étrangement, ça n'a pas eu l'effet escompté, il ne s'est pas retiré pour se renfrogner dans son coin, au contraire, il est devenu dur, dur, une barre de fer pour me transpercer, est entré d'un seul coup à m'en déchirer la brèche, puis il a donné des gros coups de bassins : Paf! Paf! Paf! pas de problème d'érection, il était tout excité. Une fois terminé, une fois qu'il m'a largué au moins deux litres de foutre sur les cuisses, question de marquer son territoire, il devait même y avoir de l'urine pour qu'on sente qu'il a accès à ma brèche plus que quiconque, il a dit sèchement : *Tu me trompes avec lui.* J'aurais voulu qu'il se révolte, qu'il pique une crise d'hystérie, qu'il m'arrache la tête, qu'il me donne des coups de pied dans le ventre et dans les yeux, qu'il me traite de pute, de salope, de petite vache, mais surtout qu'il me dise : *Non, je ne le veux pas, je ne veux pas te partager, tu es à moi, à moi, à moi, je ne veux plus que tu voies ce garçon, je vais quitter ma femme et on va rester ensemble jusqu'à la fin des temps dans une pagode à Brossard ;* encore mon histoire de Calinours et de barbe à papa, eh non, il ne m'a pas parlé comme ça, juste *Tu me trompes avec lui.* Je fulminais et je fulmine toujours, la boucane me sort par les oreilles, mon sang est rempli de nicotine, je crois qu'il y a un avertissement qui est en train de me pousser dans le front : *La fumée de cette fille peut causer des dommages à vos cellules nerveuses.* Ça m'enrage, qu'il se batte pour moi, merde, il ne comprend pas que c'est avec lui que je voudrais être tout le temps, personne ne lui arrive à la cheville, personne n'est plus magnifique, plus formidable que lui ! Il m'écœure, il m'écœure, il m'écœure, je lui arracherais les yeux !

En tout cas, c'est moins compliqué depuis que Tchéky est au courant que je baise avec un autre homme. Avant, il fallait que je fasse des pirouettes, l'un passait chez moi à trois heures pour m'apporter un bouquin et l'autre m'attendait à quatre heures au coin d'une rue, j'étais écartelée, démembrée, nerveuse, une poupée perpétuellement dégonflée, l'un avait la culotte baissée devant moi et l'autre appelait *Qu'est-ce que tu fais, beauté?* c'était à devenir folle ! Mon beau monsieur ignore que j'aime ailleurs, j'ai bien failli lui dire que le prof de littérature qui m'appelle souvent est en fait l'amour de ma vie, que cet homme de cinquante-sept ans qu'il m'arrive de branler avec deux doigts ou de sucer avec un vibromasseur collé sur ma mâchoire, je serais prête à tout pour lui, j'ai failli, ma bouche s'est ouverte, mais je me suis retenue, de toute façon, je lui aurais sûrement raconté une menterie à la toute dernière seconde, d'ailleurs j'avais la chanson de Radiohead en tête : *She lives with a broken man / a cracked polystyrene man / who just crumbles and burns / He used to do surgery for girls in the eighties / but gravity always wins...* Je sais que j'ai bien fait de ne pas lui dire qu'il y a quelqu'un d'autre dans ma vie, ça réduirait les chances qu'il me fasse le bébé de mon prof de littérature. Car on ne fait pas des enfants pour les autres comme ça dans la vie, on n'est pas dans le don de soi facilement dans la vie, mon prof de littérature ne fait rien pour rien, quand il m'emmène au resto ou qu'il m'achète un cadeau, c'est parce qu'il sait que je lui donnerai du sexe, que j'acquiescerai à toutes ses demandes afin de le faire devenir dur, que je ne lâcherai pas le morceau tant qu'il n'aura pas crié de plaisir. Non, il ne fait rien pour rien, et s'il continue de me voir même s'il y a un autre monsieur dans ma vie, c'est parce qu'il sait que la culpabilité me ronge le cœur et que je suis encore plus gentille avec lui, oui, une belle petite amante extrêmement gentille qui fait ses quatre volontés et qui lui raconte tous les faits et gestes de l'autre, qui lui dit comment elle reste de glace devant ce beau garçon millionnaire avec de l'argent fourré jusque dans les oreilles, comment elle s'en fout, car c'est lui, son prof de littérature qu'elle aime plus que tout au monde. Il le sait que l'autre n'est qu'une marionnette qui m'occupe, qu'il fait le boulot que lui ne peut pas faire, qu'il me tient la main dans la vie pour ne pas que je me sente trop seule, qu'il me dit des beaux mots alors que lui n'a pas besoin de me dire quoi que ce soit pour que je sois folle à lier de lui, car je l'aime comme une ostie de comique, mon prof de littérature, je l'aime à trahir quelqu'un qui veut mon bien, quelqu'un qui pourrait me donner tout ce que j'ai toujours souhaité : une famille qui m'entoure. Et il doit rire dans sa barbe de se savoir si aimé, de se savoir plus désiré qu'un formidable beau et jeune et riche monsieur, de se savoir aimé plus que tout au monde par un petit pétard blond prêt à tout pour lui. Oui, sa supériorité de prof, d'homme, d'amant doit en avoir pour son argent, il doit avoir l'ego gonflé comme une montgolfière, il doit se sentir l'homme le plus sexy de la terre, le Ricky Martin de l'université, le contrôleur de marionnettes suprême, car si mon beau monsieur au nom de marque de soupe poulet et nouilles est une marionnette dans ma vie, mon prof de littérature en tire les ficelles. C'est écœurant ce que je raconte-là, c'est écœurant tout ce pouvoir que je lui concède sur ma petite personne et sur celle de l'autre.

Bien sûr, Tchéky ne me dit pas : *Raconte-moi ce que Monsieur marque de soupe poulet et nouilles t'a dit hier soir dans sa Porsche, dis-moi ce qu'il t'a fait, comment il t'a embrassée, comment est-il au lit, moins cochon que moi ? Et sa queue, est-elle plus grosse que la mienne ?* Non, il n'est pas comme ça, mon prof de littérature, il est beaucoup plus subtil, et puis, de toute façon, il aurait trop peur que je l'accuse de me manipuler, il ne veut pas se faire reprocher quoi que ce soit, il veut garder les mains blanches, aucune responsabilité. Alors, il ne me pose pas de questions directement, il tourne autour du pot, il m'amène subrepticement à parler de l'autre, à lui raconter que mon beau monsieur m'a dit que j'avais de la classe, par exemple, alors là, il intervient, *Ce n'est pas que tu n'aies pas de classe, mais tu es un petit clown. Tu es très spontanée, tu le sais... Ce Monsieur… euh… soupe aux tomates n'est qu'un beau parleur… Tu es trop sensible aux discours amoureux, ça te perdra.* Non, il ne me dit pas grand-chose, mon prof de littérature, mais juste assez pour que ça me fucke les neurones et que je me perde dans mon corps, dans ma personnalité, que j'en oublie qui je suis, juste assez pour tout ça, mais pas pour que je cesse d'être folle à lier de lui. Il y a une frontière qu'il ne franchit pas : il aime que je l'aime.

* * *

Mon beau monsieur est toujours content quand il me voit, ça paraît dans ses sourcils foncés et touffus qu'il ramène ensemble comme une petite fille quand il sourit, car il sourit beaucoup lorsqu'il me voit, des sourires et des petits coups de queue, comme un caniche. Et il me dit de belles choses, des tas de belles choses comme : *Tu es mon amour, mon amour, mon amour. Tu es ce qu'il y a eu de mieux depuis l'invention du chocolat*, il me dit des tas de belles choses comme si j'étais un produit à vendre, parfois j'aurais presque envie de m'acheter ; de sa bouche, on dirait que j'en vaux vraiment la peine. Oui, des tas de belles choses qui finissent toujours par me donner mal au ventre, qui agitent ma boule d'angoisse qui grossit doublement depuis que deux hommes habitent ma brèche.

Je ne suis pas habituée à me faire dire de belles choses comme ça, moi, j'ai été habituée à des *Tu rends folle ta mère, c'est de ta faute, tout est de ta faute, on devrait te placer, tu te comportes comme une petite pute, Émilie-Kiki.* J'ai été élevée à coup de ça et de silences, les longs silences de ma mère quand j'avais un, deux, trois, quatre, cinq, six, sept, huit, neuf, dix, onze ans. Oui, les silences de ma mère et maintenant les silences de Tchéky. Les beaux mots de Monsieur marque de soupe poulet et nouilles me chamboulent l'intérieur. Alors, pour ne pas me faire avaler par ce démon publicitaire, je me dis qu'il ne s'agit là que d'un drap de beaux mots qui sort de sa bouche de limace, un drap de beaux mots pour m'envelopper comme il enveloppe tous ses clients, mais un jour, inévitablement, il déroulera ce drap pour m'envoyer valdinguer dans le vide, car moi, son petit produit, je serai périmée. Alors j'écoute à moitié ce qu'il dit sur moi, et en silence comme mon prof de littérature, comme ma mère folle à lier, oui, j'écoute à moitié et je me concentre sur nos baises, car on baise comme des débiles partout, dans les ruelles, dans sa Porsche noire, chez ses amis, les riches, dans des chambres d'hôtel, je me concentre uniquement sur sa queue qui entre dans ma brèche, uniquement sur le petit spermatozoïde qui pourrait s'échapper de son urètre et rester dans mon ventre pendant neuf mois. Je le sais, je suis tordue comme un vieux bout de bois, et pleine d'échardes, quand on m'approche de trop près, je laisse des marques, je peux même donner la gangrène si on ne se désinfecte pas à temps. Mon beau monsieur n'a sûrement pas d'alcool pour se désinfecter, car il m'appelle tout le temps, il veut me voir toutes les secondes de la journée, on passe des tas de soirées ensemble et Noël aussi. Noël est dans quelques jours et mon beau monsieur m'a promis une surprise, il a dit *Un château pour une petite princesse*, ça fait mal d'entendre ça, presque aussi mal que cette fois à l'hôtel où il m'avait demandé de me mettre à genoux comme lui dans le lit, relation d'égal à égal ou d'ego à ego, pour me dire avec des yeux brillants comme des lucioles, *Moi, j'ai tout eu dans la vie, famille normale, belle vie, de l'argent à profusion. Mais toi, tu n'as rien eu. Alors, on dirait que je voudrais tout te donner.* Ça m'avait fait si mal de réaliser qu'il comprenait peut-être, ça jouait dans la partie de mon corps et de ma tête où je suis une écorchée vive, j'avais mal aussi de le voir si sincère et moi si hypocrite d'avoir passé l'après-midi avec Tchéky, ses fesses sur mon visage, dans une chambre de l'hôtel Le Cythère. Dans le bureau de ma psy, j'avais pleuré comme une folle : *Il ne peut pas être mon prince charmant !*

C'est dur d'entendre des choses comme ça alors que moi, j'aime ailleurs, mais j'en profite quand même, je réclame ses beaux mots, je fais la gentille, la tout attentionnée, je le regarde avec des grands yeux de merlan frit pour qu'il me fasse des tas de compliments, des tas de belles affaires que j'emmagasine ; comme ça, lorsque je vois mon homme marié jusqu'aux oreilles et silencieux comme une carpe, parfois, j'arrive à imaginer que c'est lui qui me les dit, ces belles choses.

Mais je ne suis pas un monstre, je ne suis pas insensible tout de même, je n'ai pas une carapace à toute épreuve, c'est pour ça que ma boule d'angoisse prend de plus en plus de place, jusqu'à me paralyser, jusqu'à m'empêcher de sourire et de mâcher quand c'est le temps. Elle grossit, ma maudite boule d'angoisse, surtout depuis que je commence à m'habituer à la présence de mon beau monsieur, depuis que j'en viens à attendre ses appels de seize heures où il me dira dans quel restaurant chic il m'emmènera souper, surtout depuis qu'il m'arrive de m'acheter une robe en me disant Me trouvera-t-il belle dans cette couleur ? Mais il ne faut pas que ça continue ainsi, il ne faut pas que mon plan de nègre d'avoir le bébé de Tchéky soit compromis, je ne dois pas m'attarder à des émotions pour un beau jeune homme riche qui a tout pour lui et qui, plus tard, c'est sûr, quand je serai vieille et moche et que j'aurai la brèche asséchée par mon manque d'hormones à cause de la ménopause, ira voir ailleurs dans des lits de catins si j'y suis, qui fera comme mon prof de littérature à sa femme qui s'imagine, dans son château de cartes du Plateau Mont-Royal, être la seule et unique pour son homme, non, il ne faut pas que ça continue ainsi.

Déjà deux mois que je fréquente Monsieur marque de soupe poulet et nouilles, deux mois intenses de virevolte entre mes deux hommes, ça passe vite quand on se fait remplir la brèche quatre-vingt-dix fois par semaine, qu'on se fait sucer le bout des seins au moins deux heures par jour et qu'on doit sucer à son tour au moins le double du temps. Oui, ça passe vite, mais pas assez, il va falloir que j'accélère les choses pour qu'enfin mon beau monsieur me fasse le bébé de mon prof de littérature, car je ne suis toujours pas enceinte, mes deux hommes s'obstinent à répandre leurs petits spermatozoïdes sur mes cuisses, sur mon ventre, dans ma bouche, dans mes cheveux, mais rarement dans ma brèche. En fait, ils ne répandent leurs petits spermatozoïdes dans ma brèche que lorsqu'ils savent qu'elle crache du sang, alors là, ils se prélassent dans les caillots, foutent du rouge partout dans mes poils blonds et éjaculent deux litres de petits spermatozoïdes qui vont mourir dans mes trompes vides qui leur servent de tombeau. Mon beau monsieur veut attendre un peu avant de se lâcher lousse dans ma brèche, pourtant chaque fois qu'on baise, il entre et sort de ma brèche avec frénésie en me disant qu'il voudrait me faire un bébé, que je serais une mère formidable, que je serais la plus belle des mamans, qu'il me ferait l'amour sans arrêt tout au long de ma grossesse... Mais quand ça y est, quand il sent les spasmes le parcourir, il retire sa queue et la vide sur moi. Couillon ! Ça m'énerve, ça m'enrage, il m'éloigne de mon but dans la vie et m'oblige indirectement, en prenant son temps, en multipliant les rencontres, à m'attacher à lui, oui, il faut que ça cesse.

* * *

C'est Noël et je déteste Noël. Noël incite au suicide collectif dans le fond des bois ou aux meurtres en série à la hache. Noël me rappelle l'histoire de cet homme qui, le 24 décembre, s'était rendu dans une étable et avait scié toutes les cornes des vaches jusqu'au sang. Noël me rappelle aussi et surtout toutes mes fêtes de famille bâclées par ma mère folle à lier, ma mère qui pique une crise de nerfs devant tout le monde, ma mère qui se soûle la gueule avec deux verres de vin parce que le lithium et le vin rouge ne font pas bon ménage, ma mère qui enlève sa belle petite robe noire pour crier à toute l'assemblée qu'il y a des Judas dans la place, ma mère qui tombe de tout son long dans les cadeaux de Noël, qui casse les jouets des petits enfants. Ou ma mère en cure fermée et moi qui suis seule avec ma petite mémé psychotique qui n'aime pas Noël, alors on ne fête pas, on reste assises dans la cuisine, sous l'éclairage jaune pipi de la lampe sans abat-jour à regarder la télé sur le comptoir, on regarde des scènes d'enfants aux yeux émerveillés par les cadeaux du père Noël, les papas qui reviennent à la maison la veille de Noël pour retrouver leur femme et leur progéniture adorées, plein d'amour dans les bras et dans les yeux, la dinde sur la table et tous les convives qui bouffent jusqu'à plus soif, le sourire aux lèvres, la grosse sauce brune qui dégouline sur les joues et le menton, lorsque ça fête trop à la télé, ma mémé ferme l'appareil et on va se coucher toutes les deux dans son lit, mais on est vite réveillées par Jean-Claude, mon beau-père, qui vient me porter un petit cadeau : une Barbie de la femme bionique. Ma grand-mère fulmine, sous ses yeux moribonds, mon beau-père s'empresse de me donner ma Barbie et de filer en douce, les yeux remplis de larmes, lui aussi est seul pour Noël, sa femme est internée et sa belle-fille est emprisonnée par sa mémé psychotique. Noël, c'est une fête de famille et moi, je n'ai pas de famille, pas encore, j'attends qu'un de mes messieurs se décide à mettre une petite graine dans mon ventre et que ça pousse, ça pousse, alors là seulement j'aurai des Noël fabuleux avec des boules de toutes les couleurs, des petites lumières jaunes, vertes et rouges, des cheveux d'ange, des chats kamikazes qui se jettent dans le sapin et cassent les boules de toutes les couleurs pour finir étouffés par les guirlandes, et mon prof de littérature déguisé en père Noël qui donne des cadeaux à notre petite descendance avant de vomir dans le plat de punch au rhum. Je veux des Noël comme ça.

Mon beau monsieur m'a promis de faire quelque chose de spécial pour moi à Noël, il m'a promis de faire briller ma vie noire de mille feux cette soirée-là. En l'attendant, j'ai des tas de pensées négatives, des pensées qui concernent Tchéky qui doit être avec sa femme, ses enfants et ses amis à manger des canapés aux crevettes, aux pétoncles et au bœuf et à boire du champagne en se racontant des vieilles anecdotes : comment lui et sa femme se sont rencontrés, comment l'accouchement de leur premier enfant fut difficile, mais ô combien les voyages qu'ils ont faits, les paysages qu'ils ont vus étaient beaux, et elle doit le regarder avec des yeux brillant comme un fond de casserole bien récuré et lui, en voyant ces yeux-là, ces yeux si rassurants qu'il connaît depuis toujours, ces yeux qui seront toujours à ses côtés, il doit se dire, *Ciel que je suis aux anges, Ciel que je suis choyé par la vie, ma femme m'aime...* En ce temps des fêtes, il n'en a que pour sa femme et sa famille, j'en suis sûre, il oublie que j'existe, il met un stop à sa vie professionnelle comme à sa liaison avec moi, je fais partie de son boulot en quelque sorte, je suis sa prétendue réunion du lundi, du mardi, du mercredi, du jeudi ou du vendredi ; on ne peut donc pas se voir durant le temps des fêtes, surtout que sa stupidité de femme est en congé elle aussi. Il faut que je me rende à l'évidence, si Monsieur marque de soupe poulet et nouilles n'avait pas fait irruption dans ma vie, je serais seule, seule, seule à Noël et je sécherais, moi, mon envie de mon prof de littérature non-stop dans ma vie et ma brèche, on sécherait.

Mon beau monsieur arrive, j'ai préparé mon petit baluchon, on part pour deux jours, on s'en va dans sa Porsche noire à Québec. Tout le long du trajet, on ne parle presque pas, on écoute sa musique, je regrette de ne pas avoir apporté des cassettes plus intéressantes que les siennes, U2, U2 et U2, je me jure qu'une fois arrivée à Québec, je vais lui acheter celle de Daniel Boucher, *Cheap comme dans l'genre / Qu'on est en que'qu'part, là / Pis que j't'écoute pas m'parler / Mais que dans l'fond, j'pense à toé / À toé...* déshabillé qui me fait un petit bébé.

Après trois heures de route à écouter les vieux succès de U2, j'ai envie de placer des bombes partout en Irlande. Mon beau monsieur sourit, il est heureux, il n'a pas l'oreille musicale et il paraît qu'il danse comme une carpe sur l'acide, mais il sourit et il veut que je sourie, il a réservé une suite de princesse au Château Frontenac, a-t-il dit, un château pour une Cendrillon, a-t-il dit, car, pour lui, je suis une Cendrillon, un autre qui veut jouer dans mon complexe d'Œdipe. Mon complexe d'Œdipe, je l'ai passé petite à lire *Cendrillon* et, aujourd'hui, je le vis accroupie entre les cuisses de mon père patenté. Dès qu'on entre dans la suite de princesse, mon prince charmant se transforme en crapaud libidineux, il tient à ce qu'on essaie tout de suite le matelas, et là il commence à me susurrer à l'oreille des choses qui me font encore plus mal que toutes celles qu'il m'a dites auparavant, il me susurre à l'oreille qu'il voudrait rester avec moi, qu'il voudrait un enfant de moi, m'avoir à lui toute sa vie entière, je suis tout hébétée, moi, je veux juste ses petits spermatozoïdes et retourner avec mon prof de littérature, juste ça. N'importe qui se contenterait de baiser un petit pétard blond en silence, mais lui non, il voit loin, c'est un visionnaire qui me fait visionner ses projets d'avenir, il a des plans de maison comme des tours Eiffel, des activités de couple et de famille, une vie compartimentée, une cellule familiale nucléaire. Il me susurre à l'oreille un rêve qui ressemble un peu trop au mien, avec un bungalow, des enfants qui s'entretuent dans le jardin et qui piétinent les œillets et les tulipes, un barbecue, des amis qui viennent nous rendre visite, une thermopompe, une tondeuse à gazon et des paiements qu'il fait facilement, car il gagne sa vie les yeux fermés, les deux poches ouvertes, et moi en robe blanche du dimanche qui l'attends toute souriante avec un verre de vin à la main. Ça fait mal d'entendre ça, ça veut chambouler mon but dans la vie, ça me montre que j'aurais peut-être un avenir avec lui, que je ne fais peut-être pas la bonne chose, que je n'aime peut-être pas la bonne personne. Mon beau monsieur, c'est un jeu pour moi, un vrai jeu de Monopoly : *Start*, achetez l'hôtel, achetez un autre hôtel, avancez de trois cases, désolé, faillite, *Game over*, un jeu auquel je ne peux me permettre d'être perdante. En ce moment, ma boule d'angoisse doit sûrement arborer des couleurs et des paillettes de Noël, car je la sens qui fait la fête, j'ai tellement mal dans mon ventre, j'aurais envie d'arracher la tapisserie nulle à chier de la chambre de princesse du Château Frontenac, je ne suis pas une princesse, je suis plutôt la vilaine belle-mère de Blanche-Neige et je m'apprête à donner une grosse pomme empoisonnée à mon beau prince charmant. Il faut que cette relation cesse, c'est ce soir le grand soir, c'est ce soir que la queue de Monsieur marque de soupe poulet et nouilles crachera le morceau. Enfin, je pourrai dire bye-bye à ce garçon qui commence à être un peu trop magnifique à mes yeux.

Je t'aime ! Je t'aime ! Je t'aime ! Je te ferais un bébé, dit-il pendant qu'il s'essouffle sur moi. Soudain les contractions, ce n'est pas normal dans mon ventre, crampes aiguës, *Enlève-toi ! Enlève-toi*, du sang sur les draps, du sang sur ses cuisses, du sang sur sa queue et dans ses poils, du sang partout et des caillots aussi, des gros caillots brun rouge, on dirait des miniboules d'angoisse oubliées dans le lit comme des fœtus, du sang partout sur les beaux draps blancs du Château Frontenac, ça saigne, ça saigne, une rivière de sang entre mes jambes, c'est l'hémorragie, un tampon, deux tampons, trois tampons, ça n'arrête plus. Il faut juste que je me calme, mais j'étais si près du but, en principe j'ovulais aujourd'hui, ma brèche était sur le point de récolter les petits spermatozoïdes tant souhaités, et la petite graine aurait grandi et grandi, mes règles se sont montré le bout du nez deux semaines avant le temps, je suis vraiment une digne représentante de ma famille, je suis toute déréglée, il va sûrement un jour falloir m'interner.

Mon beau monsieur ne s'essouffle plus sur moi, mon tampon placarde ma brèche, mon usine désaffectée et dangereuse, il m'enlace maintenant dans mon sang menstruel, c'est chaud et froid dans mon dos. Après quelques heures et quelques films cons loués grâce à la télé de l'hôtel, mes règles se sont calmées, elles ont bien eu un autre moment d'agitation lorsque mon beau monsieur m'a donné mon cadeau de Noël, une paire de billets d'avion pour le Mexique. Une petite agitation de contentement puis de panique : *Que vais-je dire à Tchéky?* mais c'est tout. On est lovés l'un contre l'autre dans la chambre de princesse du Château Frontenac, on a chaud, on dégouline de partout, on a mis le chauffage à puissance maximale, dehors, c'est les grands froids hivernaux, les vitres sont couvertes de cristaux.

— Pourquoi tu m'aimes, Émilie-Kiki? lance-t-il.

Si je m'attendais à ça! Nous n'avons jamais vraiment parlé d'amour, même si ça a toujours été en filigrane, moi, je me suis toujours tue sur ce chapitre.

— Parce que tu fais des sourcils de petite fille quand tu ris.

Cette réponse ne semble pas le satisfaire, il veut en savoir plus, il veut savoir si j'ai déjà aimé follement quelqu'un comme lui m'aime à la folie, follement à en faire des bêtises, à en perdre la tête, l'appétit, le sommeil, le sud et le nord de l'amour, à errer comme une zombie entre la cuisine et les toilettes, il veut du vrai, mon beau monsieur, il veut savoir si c'est du solide nous deux, *Tu sais, follement amoureuse à en faire des bêtises*, répète-t-il. La seule chose que je trouve à faire, c'est de m'éclipser et d'appeler Tchéky sur sa boîte vocale à l'université pour lui souhaiter Joyeux Noël. Oui, je sais ce que c'est que d'aimer quelqu'un à en faire des bêtises.

* * *

Ça n'a pas été trop difficile d'annoncer à Tchéky que je m'envolais pour le Mexique, puisque je ne le lui ai pas dit.

J'ai bien essayé pourtant, j'ai tenté plusieurs fois de le joindre sur sa boîte vocale à l'université, mais il ne me rappelait pas, j'ai même appelé chez lui, sachant que sa femme risquait de répondre, mais encore là, pas de résultat. J'ai tout de même pu entendre sa voix, quelques heures avant mon départ, sa voix, il m'a appelée pour me dire qu'il ne m'avait pas oubliée et que l'on pourrait se voir dans deux semaines, qu'il s'ennuyait de moi, mais là, il était pressé, il partait pour la Floride, son appartement en Floride, *ma femme et les enfants m'attendent dans la voiture.* C'est à peine si j'ai pu placer un mot, j'aurais aimé lui dire que sa bouche, sa peau, ses mains me manquaient, que j'avais besoin qu'il vienne se coucher, là, tout de suite, dans mon ventre, mais il avait déjà raccroché. Alors non, je ne lui ai pas dit que je partais pour le Mexique avec mon beau monsieur, mais j'aurais peut-être dû, pour avoir sa bénédiction en quelque sorte, car la culpabilité m'a rongé une partie du cœur.

Nous sommes sur la plage du Mexique, mon beau monsieur, moi et ma boule d'angoisse, nous sommes assis en rang d'oignons sur le sable jaune et nous regardons la mer et les nuages en forme de guimauve, le ciel trop clair, le vent, les voiliers au loin, nous regardons aussi la houle de la mer et la houle dans notre tête, reflux de bouillon de sang contre les tympans. Il me pousse des toiles d'araignée dans le ventre, ça fait deux jours qu'il ne m'a pas touchée, deux jours qu'il n'a pas mis son doigt dans ma brèche, sa bouche sur mon nombril du monde qui a perdu de son assurance, deux jours sans ses bras en forme d'amour autour de ma taille, ses doigts dans mes cheveux, sa langue dans mon oreille, il ne veut plus me toucher, il ne me fait plus confiance, il a peur de moi. J'ai blessé mon beau monsieur, je lui ai montré un versant de la vie qu'il ne connaissait pas, qu'il ne voulait pas connaître. Il ne connaissait pas les tromperies, les cachotteries, les mensonges, la méchanceté de la personne que l'on aime, il ne savait pas qu'on pouvait lui faire du mal, lui qui a été aimé plus que tout par sa mère, qui a reçu l'amour inconditionnel de sa maman, qui a été bercé près de son sein au son de petites ballades, *Dodo l'enfant do, l'enfant dormira bien vite.* Il ne sait pas que ça me rentre de la vitre dans le ventre quand il me dit que sa mère l'aimait, l'aimait, l'aimait, *si tu savais combien ma mère m'aimait, combien ma mère était fière de moi tout le temps, chaque geste était un émerveillement pour elle. Tu aurais dû la voir lorsqu'elle s'est aperçue que j'étais fort comme un homme en ouvrant un pot de confiture collé,* c'est dur d'entendre ça quand on n'a eu pour présence maternelle qu'une bouteille de lithium sur deux pattes. Il ne savait pas que la femme de sa vie pouvait lui faire autant de mal, il a atterri de l'autre côté du miroir, il a découvert que j'aimais ailleurs, il a découvert l'existence réelle de mon prof de littérature, de mon homme marié jusqu'aux oreilles, la porte sur la partie cachée de ma vie s'est ouverte, il a tout vu, il a tout lu, mon journal, ce journal que je traîne avec moi comme un objet fétiche, ma vie qu'il ne faut pas que j'oublie, ce journal qui raconte l'histoire d'un petit clown qui fait des pirouettes dans le cirque d'un prof d'université, un petit clown qui marche en fildeфériste sur une corde raide, sans filet, borderline entre la réalité et la folie, lui et un homme marié, il l'a lu, il a tout su. Pourquoi je n'ai pas laissé ce maudit journal chez moi ? Le journal a détruit mon beau monsieur, ça l'a brisé en deux, ça a cassé son cœur et ça a assombri ses yeux verts qui sont devenus gris, sa peau brune aussi a changé de couleur, elle est devenue toute blanche. La fin du monde habite dorénavant toutes ses cellules. Comment peut-on être si cruelle ?

— Pourquoi m'as-tu fait ça ?

Ma boule d'angoisse tressaute à côté de moi et monte sur mes genoux. Je la berce comme un enfant en me tenant le ventre.

— Pourquoi tu m'as fait ça, Émilie-Kiki ? Pourquoi voyais-tu un autre homme dans mon dos ? Dis-moi que tu n'as pas couché avec ton prof de littérature dans mon dos, entre deux de nos rendez-vous.

Je continue de me bercer, je ne peux pas parler. Ma boule d'angoisse est maintenant bien installée au chaud dans ma bouche, couchée sur ma langue.

— Dis-moi au moins que tu ne le reverras plus. Qu'on va tout recommencer à neuf. Moi, je vais t'en faire, des bébés. Oublie cet homme, il est marié de toute façon, il ne veut rien savoir de toi. Tu n'es que son petit désennui. Son petit jouet. Sa petite pute.

Trois voiliers passent. Je ne parle toujours pas, ma boule d'angoisse glisse dans mon œsophage et s'installe dans mon ventre. Elle sourit à belles dents.

— Émilie-Kiki, dis quelque chose ! Toujours à te réfugier dans ta bulle, toujours à éviter la vie, la vraie vie, toujours à t'inventer des histoires. Ça t'a sauvée quand tu étais petite, mais là tu n'en as plus besoin. Lâche ça. Vis enfin une vraie vie. Pas une vie imaginée avec un prof de littérature fucké !

Je ne parle toujours pas. On dirait que ma boule d'angoisse a avalé ma langue.

— Tu en veux, des bébés, alors tu vas en avoir ! Viens, crisse !

Mon beau monsieur que je n'arrive pas à trouver moins beau malgré la colère qui défigure son visage parfait me prend par la main et m'entraîne derrière les dunes, il serre fort ma main, un peu plus et il me l'arracherait.

— TU VEUX UN BÉBÉ, ALORS TU VAS EN AVOIR UN, me crie-t-il en me poussant dans le sable.

Les nuages s'effilochent au-dessus de sa tête, des enfants rient au loin, un rayon de soleil aveugle mon œil droit pendant que lui s'essouffle sur moi, j'ai des petits pics comme des oursins de sable plein le dos, un tapis de fakir, j'endure. Ma punition est bien douce face à la douleur que je viens d'infliger, j'ai trahi ma vie rêvée.

Habituellement, il me suffit de fermer les yeux pour oublier la présence de mon beau monsieur, fermer les yeux pour ne plus penser à lui, Tchéky prend tout de suite la relève, bien ancré dans mes pensées, mais là, c'est confus, j'ai beau fermer les yeux, mon beau monsieur est là, sur moi et en moi, non pas parce qu'il se fait aller sur moi comme un damné : bien qu'il soit fâché, son corps et ses gestes sont doux, son corps et ses gestes suivent le son des vagues, nos corps ensemble, c'est la perfection, sa bouche sur la mienne, c'est la perfection, c'est qu'il a tout pour me plaire, mon beau monsieur, et c'est là, là seulement que je commence à m'en apercevoir, là seulement alors que je sens que c'est fini que je commence à m'en rendre compte. Monsieur marque de soupe poulet et nouilles se retire pour se répandre dans les dunes et les pics pics.

* * *

Depuis notre retour du Mexique, ses yeux ne sont plus pareils, sa bouche non plus, des hélices en sortent pour me déchiqueter chaque fois qu'il me parle, ses mots rugueux écorchent ma peau, excorient mes cellules. J'ai du mal à mettre mes idées en ordre, ça doit être à cause de mes robes trop serrées, je suis à l'étroit dans ma voix, Mikaël, Mikaël, Mikaël, j'arrive à prononcer son prénom après plusieurs grimaces. Jusqu'à maintenant, il n'avait pas beaucoup de tête ni de visage, il n'était qu'un géniteur potentiel, qu'une queue entre mes jambes, mais il a semé le doute dans mon esprit. Maintenant, chaque fois que nous allons dans la chambre, c'est comme un abattoir, mon sang frappe trop fort contre ses tympans, ça lui fait presque mal aux oreilles, le bruit du sang. J'ai créé le début du désordre, maintenant, quand il ouvre sa bouche en forme de reproches ce n'est que pour m'expliquer sa vie, mais plus la nôtre, il a retiré notre étrange petit couple in vivo de son vocabulaire, Mikaël marque de soupe poulet nouilles et Émilie-Kiki main dans la main n'existent plus dans son univers.

Il vient quand même chez moi presque autant qu'avant, mais il y vient avec la tuberculose sur les lèvres, on se parle, il veut des explications et ça finit toujours en mur de Berlin dans le salon, il m'en veut, il voudrait me déchirer comme une mauvaise image, une image des jours gris, mais il ne le peut pas, il s'est attaché, il veut se détacher, il me provoque, il attend la crise, il attend que je le renvoie, comme ça il n'aura pas à traîner la culpabilité d'avoir quitté une jeune femme qui lui fait pitié, il pense que je suis incapable d'endurer un rejet, il est persuadé que malgré tout je demeure fragile, que je suis une petite âme perdue qui s'est fait prendre au piège par son prof de littérature fucké. Il a beaucoup de ressentiment dans la voix quand il dit *ton prof de littérature* et surtout quand il me parle de ce que j'ai fait : *Dire que je te croyais quand tu me disais que tu étais amie avec cet homme. Toutes les fois où vous alliez au resto et je ne me doutais de rien. Je te faisais confiance. Je me disais il l'a aidée dans sa vie. Elle l'admire, il est si important pour elle. Je me suis fait avoir comme un sale con. Tu n'as pas cessé de le voir. J'aimerais pouvoir t'enlever de ma tête, ne plus revenir ici, mais j'en suis incapable. T'es une maudite perdue, Émilie-Kiki. Tu n'as pas le droit d'être malhonnête comme ça avec les gens.*

Encore ce soir, ça a fini en mur de Berlin. Quand il est arrivé dans mon quatre-et-demi dans mon bloc de mille étages, certes, il a souri, quelques sourires un peu faux et il a dit quelques mots aussi, des banalités qui nous font rire, mais plus la soirée a avancé, plus il s'est mis à me questionner, une inquisition sans caresses. Il voulait savoir où j'en étais avec mon prof de littérature, si je l'avais revu, si je lui avais reparlé, évidemment, devant mon mutisme, on s'est engueulés, ou plutôt, il s'est fâché, et moi, je me suis encore plus réfugiée dans ma bulle, bien lovée au fond de ma bulle avec ma boule d'angoisse qui me tenait la main. J'ai subi sa hargne sans dire un mot, espérant qu'il se coucherait sur moi et qu'il m'embrasserait, oui, qu'il m'embrasserait, seulement ça, mais tout le long, il continuait de me déverser sa hargne dans la figure, dans les mains, dans les cheveux, et je savais qu'il avait raison, je savais aussi que j'ai agi comme une gourde, que je n'aurais pas dû l'appeler si c'est pour nous faire du mal comme ça, car c'est moi qui l'appelle depuis le Mexique, c'est moi qui veux le revoir, je me sens encore plus seule qu'avant. Depuis le Mexique, je ne suis plus une fille, mais une boule d'angoisse avec des yeux qui fixent le tapis sale de ma vie.

Et c'est à ce moment précis que Tchéky a appelé, alors que Monsieur marque de soupe poulet et nouilles était bien engagé dans sa campagne de démolition contre ma petite personne, il a appelé pour me dire qu'il était revenu, une semaine plus tard que prévu, mais qu'il était revenu, qu'il avait hâte de me voir, qu'il s'ennuyait de moi, qu'il espérait que je ne m'étais pas tannée de lui, que j'étais encore son petit clown. Mes yeux tristes se sont soudainement illuminés, mes lèvres ont réappris à sourire pour vite se tordre, Monsieur marque de soupe poulet et nouilles s'est mis à crier dans la pièce.

— C'est lui, hein ? C'est ton satané prof de littérature fucké, hein ? Choisis, c'est lui ou c'est moi ! Choisis, Émilie-Kiki : lui ou moi !

En entendant les cris de l'autre homme, Tchéky a perdu son entrain.

— Écoute, je vais te laisser à tes choses, Kiki.

Sa voix, devenue toute froide, trahissait sa pensée : Oui, mon petit clown, je suis d'accord avec monsieur soupe aux tomates, il faut que tu choisisses, c'est lui ou c'est moi.

Alors, j'ai fait mon choix.

QUATRIÈME PARTIE

Sous un chapiteau mort

Cette fois-ci, c'est moi qui lui ai donné rendez-vous, c'est moi qui ai choisi l'hôtel, un bel hôtel minable à l'image de notre vie de couple, l'hôtel du Canada à Longueuil, une chambre avec des miroirs tout le tour pour voir sous toutes les coutures ce que je m'apprête à faire. J'ai pris les choses en main, je veux que tout soit parfait pour que mon petit plan de nègre fonctionne, j'ai assez attendu, alors j'ai décidé qu'on ferait ça ailleurs, ailleurs que dans toutes ces chambres d'hôtel où on a l'habitude de se déshabiller, de se laver la brèche et la queue, de se lécher la brèche et la queue et de boire nos liquides, je dois déstabiliser l'ennemi, je veux réussir mon coup, il faut que j'amène l'ennemi à tirer, Tchéky doit me faire notre bébé de papier.

Je me suis bien préparée pour cette soirée, je me suis mise sur mon 36, mieux, sur mon 360, je vais le faire tourner de l'œil, il va skater, mon prof de littérature, je suis à croquer, une vraie petite pomme rouge. J'ai mis une belle robe facile à enlever, noire, la robe, c'est toujours pratique quand on est devant l'ennemi, on relève la robe et l'ennemi n'en peut plus, voit la brèche qui sourit, perd ses moyens, fait volte-face, a l'air idiot, se sert tout croche de son arme, tire partout. Non, vraiment, je suis à croquer avec mes petits cheveux blonds tout plats, une vraie petite pomme rouge avec des cheveux blonds tout plats. Habituellement, mes cheveux se mêlent tout de suite pour former une espèce de masse sur ma tête, genre de Gumbi ou de Bob Marley, c'est à mourir d'un cancer des cheveux mêlés. J'espère que mon prof de littérature aura envie de me croquer.

Je suis assise au pied du lit, sur une fleur orange, mon cul cache une partie de cette immense fleur orange, les couleurs du couvre-lit sont affreuses, elles donnent envie de vomir tout ce qu'on a avalé depuis dix ans. Là, je pense pour penser, je parle pour parler, parce que je l'attends là, d'un instant à l'autre, et ça me rend malade plus que les fleurs orange qui décorent le couvre-lit. Il faut que je me concentre avant qu'il arrive, il faut que je sois calme, afin d'avoir une maîtrise parfaite de ma petite personne, de mes pensées et de mon corps si je veux que mon plan réussisse, si je veux que Tchéky insère sa queue dans ma brèche pour n'en ressortir qu'une fois qu'elle se sera vidé les canaux. Alors, j'essaie de penser à des choses agréables, mais ce n'est pas facile, je n'ai pas l'habitude, mis à part mes rêves en couleur remplis de barbe à papa, de Calinours ou de cheval blanc ailé qui vient me chercher pour m'emmener dans un château en Espagne avec mon prof de littérature, je ne pense qu'à des choses noires qui font monter mon taux d'adrénaline, qui finissent par me faire gober des anxiolytiques, des choses noires comme toutes ces fois où je n'ai pas cassé la gueule des personnes qui me disaient des niaiseries. Stop ! *Pense à toutes sortes de choses belles, ma petite poulette, ou pense comme Beckett : Quand on est dans la merde jusqu'au cou, il ne reste plus qu'à chanter.* Alors chantons, chantons : *À quoi je joue ? Je joue de la guitare. Je sens que j'hallucine et j'ai peur de partir comme un fou vers la mort, mais j'ai de grands instants de lucididididididiiddididité,* surtout quand il est là et qu'il m'enlace, surtout quand son souffle est dans mon cou et que sa langue joue sur ma langue, *Fuck the system do it, do it yeah,* mon prof de littérature va me faire un bébé dans quelques instants, *et j'ai de grands instants de lucidididididididididiiddidididi...*

Il arrive, j'entends ses pas et sa petite toux sèche dans le couloir, il se racle la gorge, il a dû fumer des cigarettes en cachette, le vilain, sa femme ne veut pas qu'il fume à cause des trois enfants, qu'il leur mette le cancer dans les poumons mais, avec moi, il peut fumer et me souffler la boucane de ses cigarettes dans la figure et dans la brèche, il peut me donner le cancer du poumon et des ovaires si ça lui chante, il peut tout faire tant qu'il est à côté de moi et que je sens son souffle quelque part sur moi. Il cogne trois petits coups.

— C'est moi, Kiki.

Énervée, excitée, toujours en mal d'amour, je quitte l'affreuse fleur orange et lui ouvre la porte. Il me sourit en me regardant de biais, il entre dans la chambre de côté un peu à la manière d'un crabe, un crabe aux cheveux blond cendré sale parsemés de mèches grises, il dépose par terre sa sacoche remplie de copies d'étudiants de l'Université de l'amour tordu, English will not follow, et, sans enlever son manteau, il ouvre la bouche grande, grande et avale toute la mienne, ma bouche est restée fermée, j'ai oublié de l'ouvrir, je ne sais pas pourquoi, je devais être dans la lune, lui, quand il est dans la lune, il pète, *Oups! s'cusez, j'étais dans la lune*, l'excuse la plus saugrenue que j'ai entendue depuis que ma mère folle à lier m'a dit que ce n'était pas de sa faute si elle m'avait eue. J'ouvre enfin la bouche, il enfonce sa langue toujours plus loin, tourne dans le vide, tourne dans le beurre, tandis que chez moi, ça ne tourne pas rond, j'ai envie d'être un joyeux luron, j'ai des idées de cirque dans la tête, des idées qui me hantent depuis des semaines, j'ai envie de le faire marcher sur un fil d'argent à cent mille mètres d'altitude et de lui donner une poussée dans le dos, l'attacher à une planche et lui lancer des tas de couteaux effilés entre les deux jambes, l'accrocher le corps face au grillage de la cage aux lions, la queue à la hauteur de la gueule des fauves. Je suis un beau petit clown sadique de chambre d'hôtel, mais il aime ma cruauté, il me l'a déjà dit, elle lui plaît bien, ma petite cruauté, ma petite perversion, surtout quand je lui racontais comment je faisais souffrir Monsieur marque de soupe poulet et nouilles, comment je lui brisais le cœur en ne lui parlant pas, en ne lui rendant pas son amour, il aime aussi ma cruauté surtout quand il passe des heures à m'étrangler, à serrer des deux mains mon petit cou, en me donnant des coups de bassin : pouc! pouc! pouc! Ça, il aime, ma cruauté en reflet de la sienne.

— Viens, on va s'amuser, mon amour, que je lui dis en minaudant comme Nicole Kidman dans *Eyes Wide Shut*.

Il n'aime pas Nicole Kidman, surtout dans *Eyes Wide*

Shut, elle minaude, elle minaude, elle m'énerve, dit-il, et minaudons et minondaine, il n'a pas aimé le film non plus, parce que c'est un prof de littérature, un intellectuel et, comme tout intellectuel qui se respecte, il a lu le livre d'Arthur Schnitzler avant d'aller voir le film, un intellectuel avec deux cerveaux, *un pour envoyer chier l'autre*, comme a déjà dit un certain chroniqueur.

— Viens ! Approche-toi, mon amour, que je lui dis en minaudant toujours comme Nicole Kidman.

— Mais tu ne m'as jamais appelé ainsi, mon amour ?

— Et pourtant, Amour, tu es mon amour, tu es lamourdemavie@dansmesbras.com. As-tu envie que je te déshabille, mon amour, voudrais-tu que je marche à quatre pattes nue devant toi, mon amour, voudrais-tu que je te lèche au grand complet comme si tu étais un cornet de peau, durant trois heures, mon amour ?

Oh, ça oui qu'il le veut, mais moi, je veux plus, j'ai soudain envie d'aller plus loin dans notre relation, plus loin que de me faire faire un bébé, plus loin, plus loin, plus loin que ça, je veux amener mon prof de littérature dans mon cirque, qu'il sache enfin ce que c'est que d'être un petit clown au service d'un autre. Toutes sortes d'images ridicules traversent mon esprit, des images de lui ridicule, lui dans un film porno avec trop de couleurs, des grosses boules siliconées et des anus hyper-dilatés remplis par d'immenses godemichés rouges sous des néons.

— Non, attends, j'ai un nouveau petit jeu pour toi ce soir, on va faire comme si on était dans un cirque, on va jouer aux clowns heureux, pas aux clowns tristes. Regarde, j'ai apporté mon maquillage et j'ai une autre robe dans mon sac à dos, une autre robe pour toi.

Il me regarde interloqué, une famille d'extraterrestres verts en costume fétichiste en plein milieu de la chambre devant lui, il ne comprend rien, il est déstabilisé, c'est bon, c'est bon, ne pas laisser la proie se dérober, ne pas la laisser penser, ne pas lui donner le temps, lui parler sans arrêt comme les vendeurs de souliers chez Aldo. *Bonjour, madame ou mademoiselle, voulez-vous essayer ces souliers-ci ou ces souliers-là, nous avons toutes les pointures de 5 à 235, j'ai ce qu'il vous faut, madame ou mademoiselle, regardez-moi ces souliers, ils iraient bien avec votre robe, vos yeux, votre divan, votre auto, madame, mademoiselle, quoi, vous n'avez pas d'auto, pas de problème, cette couleur se marie très bien avec les sièges du métro, tenez, essayez, oh, ah, oui, ils vous vont comme à une Cendrillon, madame, mademoiselle, non, mieux, ces souliers vous vont comme un gant, et n'oubliez pas, madame, mademoiselle, d'acheter du protège-cuir qui gardera vos souliers aussi noirs qu'une nuit profonde de déprime, madame, mademoiselle, longtemps, longtemps noir, pas la déprime, achetez-les vite, car ces souliers se vendent comme des petits ponchos, hi, hi, hi, tant qu'à y être, voudriez-vous-tu une assurance de deux cent cinquante dollars pour assurer vos souliers contre les pieds des malotrus?* Moi, c'est une assurance pour mon cœur qu'il me faudrait, une petite pommade qui l'empêcherait de s'emballer chaque fois que je vois mon amour, surtout quand il est à côté de moi et que j'ai envie de lui faire payer toute ma souffrance accumulée depuis si longtemps.

— Tu vas voir, Tchéky, tu vas triper, ça va être le fun, ce soir, ça va être très sexuel, du sexe avec des étoiles comme tu n'en as jamais vu.

Je le prends par la main et l'amène près du lit, je l'assieds sur les immenses fleurs orange laides à vomir, une chambre à vous donner la tourista d'un coup d'œil, je n'ai pas eu la tourista au Mexique, même si j'ai rincé ma brosse à dents avec l'eau du robinet, même si j'ai mangé des tacos avec de la laitue lavée à l'eau, et du melon injecté à l'eau pour qu'il pèse plus lourd et qu'il coûte plus cher.

— Pourquoi veux-tu jouer? On pourrait faire l'amour, on pourrait...

— Tu es bien un prof d'université, mon amour, tu manques d'imagination, non, non, non, ils l'ont dit à *Éros et compagnie* que c'était bon d'avoir des petits jeux d'amoureux, des petits jeux cochons, ça cimente le couple au pieu, ça le tient bien accro aux organes génitaux, les cochoncetés. Tiens, bois, j'ai apporté un bon vin rouge terreux... Un vin de Cahors, on aime ça, les vins de Cahors... Hein?

Je prends le vin dans ma bouche et fais boire mon prof de littérature à même ma bouche, comme une maman oiseau qui nourrit son oisillon, j'aime faire ça, j'aime nourrir les hommes et les femmes comme ça, ça doit être mon côté maternel qui se manifeste encore, qui me sort par les oreilles, ma psy m'a prévenue de faire attention à mon côté maternel, il a trop tendance à se manifester, j'ai été programmée pour être une maman, pour être la mère de ma mère folle à lier, la mère de tous mes amoureux, la mère de mon chat jaune obèse qui avale mon gros côté maternel à coup de Tender Vittles à n'en plus finir. Il faudra que je pense un jour à m'étouffer avec mon pattern.

Je mets encore du vin dans ma bouche et fais boire

mon prof de littérature encore et encore. Lorsque la bouteille est à moitié vide, je calme mon gros côté maternel et déboutonne sa chemise tranquillement, ça me rappelle la première fois dans cette chambre d'hôtel éclairée par une croix sur une montagne où je lui avais enlevé sa chemise tranquillement, tranquillement. Je lui enlève sa chemise et ses pantalons, il est en boxers rouges et grosses chaussettes brunes, c'est laid un homme en grosses chaussettes brunes et en boxers, ça n'a rien d'excitant, et pourtant j'empire son cas, je lui fais enfiler la robe, une robe super laide que j'avais achetée un jour sans raison valable, juste pour m'autodétruire probablement, une robe qui donne envie de gerber, avec des couleurs semblables à celles de la chambre d'hôtel. Ça m'arrive de ne pas avoir de goût et de m'habiller comme dans *La Petite Vie.*

— Tchéky, je vais te faire un beau visage qui ressemblera au mien. D'accord ?

Il me regarde, perplexe, mais se laisse faire, ma petite poupée veut du sexe. Je commence donc mon cirque, je lui mets du noir sous les yeux et au-dessus des yeux et dans les yeux aussi, je lui dessine des yeux à la Alice Cooper comme ceux que j'avais il y a plusieurs mois de ça dans son bureau à l'université alors que je pleurais parce qu'il allait partir quelque part loin de moi en vacances avec sa femme et ses trois enfants, un mois loin de moi sur la Côte d'Azur avec sa famille. Je pleurais déjà même si je ne lui avais encore jamais foutu ma langue dans la bouche, même si nous ne nous étions jamais avalés, Ducharme commence *L'Avalée des avalés* par « Tout m'avale », quand je répète tout m'avale plusieurs fois et rapidement, ça donne : *Tout m'avale, tout m'avale, tout m'avale, tout va mal,* tout va mal comme là, présentement, dans le visage de mon prof de littérature, oui, ça va mal, et je continue de le défigurer avec mon rouge à lèvres rouge vif comme une petite brèche malmenée, je lui dessine deux grosses pommettes à la Ronald McDonald, ce stupide clown qui m'a toujours fait peur avec sa sauce spéciale qui rend dépendant et ses frites qui donnent de la cellulite. Puis les lèvres, je mets du rouge partout partout, j'outrepasse les démarcations, j'ai soudainement quatre ans et je déborde de mon cahier à colorier, je déborde plein de couleurs de joie dans mon cahier, alors que ma mère folle à lier me fixe avec des yeux bleu dépression sans jamais cligner des paupières, je déborde, je déborde, de la joie dans mon cahier, de la joie dans le regard de ma mère folle à lier, de la joie dans sa figure, je lui fais une grosse bouche en forme de cœur, à mon prof de littérature, une grosse bouche en forme de cœur pour qu'il ait du cœur à l'ouvrage tantôt quand il se couchera sur moi et qu'il insérera sa queue dans ma brèche, il y aura un cœur avec deux bras pour me tenir près de son visage. Mon prof de littérature se laisse faire, ne parle pas.

— Tchéky, dis-moi que tu m'aimes.

— ...

— Tchéky, dis-moi que tu m'aimes. Pourquoi tu ne m'as jamais dit que tu m'aimais, pourquoi ? Hein ? Pourquoi ?

— Parce que ça me ramène à mon infidélité.

Je n'aime pas cette réponse, je n'aime pas du tout cette crisse de réponse, non non. Je prends ses boxers rouges, ces espèces de boxers rouges super longs qui gardent au chaud l'hiver, des boxers pour se traîner le cul dans les bancs de neige l'hiver, et les lui mets sur la tête, je fais des nœuds avec les bouts de tissu qui pendent, deux petites boules chaque côté de la tête de Tchéky, des oreilles de Mickey Mouse. Je le regarde plusieurs secondes, le sourire aux lèvres, j'admire mon œuvre avec beaucoup de fierté, mais il manque quelque chose à mon petit clown fille : un nez rouge, il lui faut un nez rouge, alors je lui tords le nez, je tords, je tords, il endure la douleur, ne dit rien, ses yeux sont tristes, s'emplissent de larmes, mais ce sont des miens que jaillissent les larmes, j'ai le cœur gros, gros comme celui du frère André dans la petite boîte à l'oratoire Saint-Joseph, alors j'arrête de lui tordre le nez pour lui barbouiller encore plus le visage avec plein de couleurs de cirque. Il a l'air fou, il le sait, je le sais, je voulais qu'il ait l'air fou, mais je n'aime pas ça, il ne mérite pas ça, moi, ça va, je peux avoir l'air folle, je peux le supporter, mais lui non, je m'en veux d'avoir essayé de le rabaisser en le faisant tomber du piédestal où je l'ai moi-même mis, je lui en veux aussi de ne pas être capable de me dire ce qu'il ressent pour moi, de demeurer d'une certaine manière fidèle à sa femme, et pourquoi il se laisse faire d'abord, l'espèce de trou de cul ? Mon plan de nègre s'est retourné contre moi, j'ai de la peine, j'ai les poumons dans les joues, je voulais de la joie, je ne voulais pas le ridiculiser, je voulais seulement qu'il soit fou à lier de moi, juste ça. Je colle ma bouche sur sa bouche, je répands mon visage sur le sien, il ne sera pas seul à avoir l'air fou, je mélange les couleurs, du rouge et du noir partout, ses yeux qui ne cessent de me regarder sont moins tristes, mais ce sont mes larmes qui coulent, je sors mes seins hors de ma robe noire, mes seins perdus dans le vide sur ma robe noire que je n'ai pas enlevée, je lève ma robe et la sienne aussi, sa queue est au repos dans le lit de poils blond cendré, je l'empoigne et me mets à califourchon sur lui.

— Pourquoi tu fais ça, Kiki?

Je ne réponds pas, de toute façon, à quoi ça peut bien servir de parler, après ce que j'ai tenté de faire, quand j'ouvre la bouche, c'est trop souvent pour pointer dans la mauvaise direction, je laisse donc mon corps parler. Assise sur lui, j'entre sa queue et je commence à bouger : en haut, en bas, en haut, en bas, en haut, en bas, mais sa queue ne veut rien savoir de moi, c'est flasque. Je me laisse choir sur lui, à la dérive sur sa peau, une épave sur son corps. Cette fois-ci, je n'ai pas le courage de me branler devant lui pour l'exciter, pas le courage de mettre des choses dans ma brèche pour qu'il devienne dur, je n'ai plus de force. Il me retourne et prend le contrôle, il met son pouce dans sa bouche, récolte de la salive et vient mouiller ma brèche qui n'arrive plus à s'exciter, puis il se couche sur moi, m'écrase de tout son poids de prof d'université, de monsieur de cinquante-sept ans marié jusqu'aux oreilles. Mes larmes coulent encore plus fort, j'ai des images du passé, des images de mon beau Monsieur marque de soupe poulet et nouilles qui voulait mon bien, des images d'autres hommes aussi sur moi qui font exactement ce que Tchéky fait sur moi en ce moment, des images d'hommes qui me font sentir seule, plus seule, des images de fin du monde qui se déroulent dans des milliers de lits inconnus, une vie triste de chambres d'hôtel, je ne veux plus penser.

Alors, dans un effort pour changer le cours des choses pour de bon, je mets mes jambes en V derrière le dos de

Tchéky, mes jambes bien droites dans les airs en V derrière son dos, comme un vol d'oies, le mou devient dur, très dur. Quand je sens que c'est le moment, que son souffle devient plus profond, que sa peau se couvre de plaques rouges, je replie mes jambes derrière lui. L'ennemi a tiré.

* * *

Il est parti rejoindre sa femme et ses trois enfants dans sa si belle maison du Plateau Mont-Royal, il est parti sans me parler, sans rien dire, sa bouche est restée fermée, il sait, je pense, ce qui vient de se passer, il sait qu'on vient de faire quelque chose de gros. Je suis seule avec son silence qui s'infiltre dans chacune de mes cellules, seule aussi avec son maquillage de clown étampé sur mon visage, son foutre qui coule entre mes jambes et le quelque chose de gros qu'on vient de faire. J'aurais aimé qu'il reste avec moi quelques heures de plus, qu'il me prenne dans ses bras dans les draps qui donnent mal au cœur, qu'il me berce en me disant des choses rassurantes, comme tout va bien aller, qu'il est avec moi, avec moi, avec moi, mais non, il est parti, il doit toujours partir. Je me sens vide, une cave, un grenier, une pyramide sans sarcophage, même si mes peurs travaillent pour m'envahir : peur des autres, des vaches, des psy incompétents et des psy trop compétents…

Il est 18 h 46, je n'arrive pas à penser comme du monde, de toute façon, comment ça pense, du monde ? Visa ? Master Card ? Qu'est-ce qu'on mange ce soir ? Chéri, tu dors ? J'hallucine une famille gentille qui m'entoure les jours gris, je suis trop seule, je n'ai que des petits succès congelés dans un frigo pour m'aider à me réchauffer, je fais toujours les choses pour rien, je me donne en spectacle aux coquerelles. Je m'assois sur mes souvenirs de petite fille et je pleure.

* * *

Il ne m'a pas appelée de la semaine, pas une seule fois sa voix dans l'appareil, que le foutu *la* international, le *laaaaaaaaaaaaaaaaa* qui peut faire si mal, un poignard dans l'oreille. J'ai attendu pourtant, attendu son appel comme une folle à lier de lui, mais rien, niet, que dalle. La main au-dessus de l'appareil à en avoir des crampes, l'oreille tout ouïe à écouter ses quelques mots qu'il me donne au compte-goutte, la bouche prête à ponctuer tous ses sujets, verbes, compléments, même ses prépositions, pour qu'il reste un peu plus longtemps à l'appareil, juste un peu plus, j'ai même sorti mon dictionnaire des synonymes pour être sûre de bien étirer la conversation. J'ai interrompu toute activité au cas où il m'appellerait, je voulais être sûre d'entendre la sonnerie du téléphone, je n'ai donc pris aucune douche, que des bains, en prenant bien soin de fermer la porte de la salle de bains quand l'eau coule, pas de bruit, je n'ai mangé que des plats qui vont au four, des dîners congelés, pour ne pas que le bruit de la cuisson m'empêche d'entendre sa voix qui m'est si chère, je n'ai même pas écrit de peur d'être trop concentrée, emportée ailleurs, non, pas écrit d'articles ni ce journal, le volume de la radio et de la télé était à 0,02, même les images étaient trop bruyantes, trop dérangeantes, au moindre miaulement, je coupais les cordes vocales de mon gros chat jaune; heureusement, il comprenait, l'amas de poils, qu'il devait se tenir coi. J'ai attendu toute la semaine, sans maquillage, en robe de chambre, les cheveux en bataille, la brèche grande ouverte, mais rien, le silence, le ronronnement industriel du frigo qui repart aux trois quarts d'heure, les voix sourdes des gens qui passent dans le couloir, le moteur de l'ascenseur qui force et qui force, la sonnerie du téléphone des autres appartements, les messages sur les répondeurs des autres appartements, les pets des gens dans les autres appartements, et le silence surtout, le vide de ma vie comme meilleur ami.

Je l'ai appelé aussi, des appels sans message. Un jour, c'est sa femme qui a répondu, sa baudruche de femme à qui il réserve ses *Je t'aime.* Tout de suite, je me suis empressée de lui parler en anglais : *Sorry! It's a wrong number.* Voix désagréable avec un petit grain de trop, qu'elle a, sa femme, pas une voix qui fait des chatouilles aux oreilles quand on l'entend, pas une voix qui donne envie de faire des faux numéros, une voix haïe.

Un jour, c'est *Frédérick, 5 ans, Je t'aime, papa!* qui a répondu. J'avais envie de lui dire *Moi aussi, je l'aime, ton papa, même si je n'ai pas cinq ans, moi aussi, j'aurais envie de lui faire des beaux gros dessins à ton papa, des beaux dessins : Émilie-Kiki, vingt-sept ans, Je t'aime Tchéky; des dessins sur la peau, des gros cœurs en chocolat sur la peau qui fondraient à la chaleur de mon amour, il serait tout couvert de chocolat, de mon chocolat, ton papa, les gens sauraient que c'est moi qui l'aime.* Mais je n'ai rien dit, on ne dit pas ces choses-là à un gamin de cinq ans, ça peut le troubler psychiquement et, quand il sera grand, il risque de tuer des chats en série ou de faire partie d'un boys band. Ça m'a fait un choc de l'entendre, son bambin, à Tchéky, entendre la chair de sa chair, son petit à lui. Quand j'ai raccroché, j'ai oublié mon nom, mon prénom et ma date de naissance, il a fallu que je regarde ma carte d'assurance-maladie pour me rappeler qui je suis. Je l'ai appelé, comme ça, toute la semaine sans succès. L'enfer doit avoir un goût moins amer.

* * *

Je gobe les cachets d'anxiolytique, trois ou quatre, et je plonge mon regard dans la glace de la pharmacie. Mon visage est gris, gris comme celui de ma mère folle à lier quand elle faisait des dépressions, je hais ressembler à ma mère. J'ai juste envie d'écraser mon tube de rouge à lèvres sur mes joues pour avoir un peu de couleurs, mais j'ai peur que ça me rappelle trop la chambre d'hôtel et Tchéky déguisé en mauvais clown, lui qui se démaquille et qui s'en va, qui quitte la chambre d'hôtel me laissant seule avec son silence, son visage de clown étampé sur le mien, son foutre qui coule de ma brèche et le quelque chose de gros qu'on vient de faire. Je suis toujours sans nouvelles de lui et ma tête tourbillonne, des images de lui me hantent, lui sur moi, moi sur lui, ses cheveux dans mes yeux, sa peau qui rougit quand il rigole, son cul dans ma figure pendant qu'il me lèche, les filets de soleil qui se faufilent entre les rideaux pour s'endormir sur ses fesses poilues au-dessus de mon visage, les chambres d'hôtel miteuses, les rires, les soupirs, ses doigts dans ma brèche qui frétille d'être touchée par son amour, et des images du vide de ma vie de tous les jours, ma vie à attendre ses appels, et la boule d'angoisse qui prend des proportions gigantesques, éléphantesques, l'envie de m'ouvrir le ventre avec une cuillère, de sortir de mon ventre cette maudite boule et de la déposer à côté de mon lit pour que mon gros chat jaune joue avec, la jette en bas de mon bloc de mille étages. Et les nuits aussi, les nuits qui font si mal, les cauchemars où je le vois avec ses collègues à vanter la beauté d'autres femmes, et moi à côté qui ne peux rien dire, moi qui suis figée dans la pièce comme une patère, et ses collègues qui me disent *C'est tellement bien d'être en couple, d'avoir des enfants et de se sentir entouré, tu ne peux pas savoir*, et les réveils, des points au cœur, les nerfs crispés, les maux de ventre à couper le souffle, ASSEZ! ASSEZ! J'avale d'autres cachets d'anxiolytique pour calmer le bruit entre mes deux oreilles et je continue de me regarder dans la glace. Après cinq minutes ou douze heures, je ne sais pas, mon visage prend une nouvelle tournure, il se transforme, j'ai un petit quelque chose de l'abeille sur la boîte de Cheerios au miel et aux noix, deux grosses joues, deux antennes et un corps bariolé de jaune et de noir, deux ailes poussent aussi dans mon dos, ma petite personne m'est soudainement très agréable, bien qu'incongrue, le gris de mes joues s'est empourpré, on dirait deux boules de Noël, et mes cheveux, des cheveux d'ange argent brillant. Je représente parfaitement bien Noël au pays des Cheerios au miel et aux noix.

Plus je me regarde, plus je me rends compte que je grandis et grandis, mes bras et mes jambes s'étirent comme les membres de l'homme élastique dans *Les 4 Fantastiques*, je suis plus gigantesque qu'un Transformer, et pleine de puissance, de la puissance exponentielle, des neutrons dans les neurones, du fer dans les bras. Je sors de la maison par la fenêtre, une seule enjambée et je suis dans la rue Sainte-Catherine, je fais des pas immenses, mes cheveux touchent le ciel bleu comme un dessin d'enfant, de la vapeur dans mes oreilles, je bois à même les nuages. Je fais bien attention de ne pas marcher sur les piétons dans les rues, je suis une abeille géante consciencieuse.

Au loin, au-dessus du Stade olympique, Tchéky est là, aussi gigantesque que moi, et m'envoie des bye-bye de sa main de géant. Je lui fais signe de me rejoindre sur le mont Royal, trois enjambées et nous sommes à côté du mont Royal, il me prend dans ses bras et nous nous embrassons, nous nous embrassons, nous nous embrassons avec nos langues de géant. J'appuie mon dos et mes ailes sur le mont Royal, mon prof de littérature lève ma jupe, sort sa queue de son pantalon et l'insère dans ma brèche heureuse, et nous faisons l'amour au-dessus de Montréal, maintenant tout le monde sait que c'est du solide nous deux, que l'on s'aime plus que tout. Je n'ai plus rien à craindre, plus de doute à avoir puisque Tchéky est là sur moi et qu'il m'aime.

* * *

J'ai déchiré toutes les pages de mon carnet d'adresses pour n'en garder que celle de la lettre K : Tchéky K., rue Brébeuf. Montréal (Québec). Téléphone : ***-****. Courriel : k.tcheky@universitedelamourquifaitmal.ca. Ça n'a donc pas été difficile de le retrouver.

J'ouvre les yeux. Il est devant moi dans ma chambre d'hôpital, il sourit, une moitié de sourire en fait, son visage semble ravagé par un terrible désarroi.

— Pourquoi as-tu fait ça, Kiki ? Pourquoi ? Pourquoi ? Pourquoi ? Pourquoi ? Pourquoi ?

Il prend ma main et pleure, c'est la première fois que je le vois pleurer, il pleure comme un enfant, sûrement comme son petit *Frédérick, 5 ans, Je t'aime, papa !* des gros hoquets parcourent son corps, sa figure est empourprée comme quand il rit, il est tout rouge, il est beau.

— Pourquoi ? Pourquoi Kiki ?

Des larmes décorent ses cils, des belles larmes que j'ai envie de lécher, boire à même ses yeux.

— Je ne savais pas que tu m'aimais autant... Je ne le savais pas. Pardonne-moi. Pardonne-moi. Je ne te mérite pas. Non. Je suis un monstre d'égoïsme.

Je lui souris, je voudrais lui parler, mais je n'y arrive pas, j'ai trop mal à la gorge, on m'a inséré des tas de tubes dans la gorge pour que je régurgite tous les anxiolytiques que j'ai avalés, on m'a inséré des tas de tubes dans l'estomac pour m'enlever le goût de me reprendre pour la petite abeille sur la boîte de Cheerios au miel et aux noix.

— Ma Kiki... Ma Kiki à moi... Je n'en pouvais plus. Il fallait que je prenne du temps pour respirer... C'est pour ça que je ne t'ai pas appelée. J'avais besoin de temps pour terminer mon recueil de poésie. Tu sais ce que c'est qu'écrire, hein ? Tu sais c'est quoi, ma Kiki, hein ? Et j'avais aussi besoin de temps pour savoir quoi faire avec toi. Que je ne peux pas t'accorder autant de temps que tu le mériterais. Je ne peux rien te donner, du moins pas ce que tu souhaiterais... Tu es arrivée trop tard dans ma vie. Trop tard.

Et il continue à parler, à dire des choses que je ne veux pas entendre, je ne veux rien savoir de cette bullshit qui ne mène nulle part, qui ne mène à rien, je le veux lui, je veux lui sur moi, je veux lui en moi, là, tout de suite, même si tous mes organes me font souffrir comme ce n'est pas permis.

J'étire le bras droit et prends sa main, je la fais retirer la couverture qui est sur moi, j'écarte les jambes le plus loin que je peux, et presse sa main contre ma brèche. Je souris à mon prof de littérature.

* * *

On ne m'a pas gardée longtemps à l'hôpital, ma psy est venue et elle a arrangé ça, elle m'a demandé si j'avais l'intention de recommencer, si j'avais vraiment eu l'intention de me suicider, réellement, réellement, je lui ai dit que non, que je voulais juste faire en sorte que toutes les pensées noires qui m'assaillent perpétuellement cessent, elle m'a crue et elle a bien fait, car c'est la pure vérité, je ne voulais pas me suicider, je voulais juste que ça soit calme entre mes deux oreilles, c'est pour ça que j'ai gobé les anxiolytiques comme des Smarties. Il n'y a qu'à Tchéky que je n'ai pas dit qu'il ne s'agissait pas d'un vrai suicide, juste à lui, la culpabilité le ronge, ce qui le rend plus amoureux, oui, amoureux. Il est constamment à mes baskets, m'appelle pour savoir si je suis bien, si j'ai besoin de quelque chose, il va même jusqu'à quitter sa si belle maison de la rue Brébeuf pour aller me chercher du lait pour mes céréales du lendemain matin, ce n'est plus mon prof de littérature, c'est une espèce de béni-oui-oui tchèque, et c'est formidable. Et je n'attends plus ses appels non plus, il m'appelle quarante-cinq fois par jour, c'est à en avoir de la corne aux doigts à force de répondre. Il se pointe le bout du nez constamment chez moi aussi, sonne, m'offre des fleurs, des chocolats, des piles de livres et il m'emmène manger au resto entre deux cours et pas des restos « apportez votre vin », on va au Petit Moulinsart, au Continental, à L'Express aussi où je me régale d'os à mœlle. Il m'a même acheté une imprimante couleur pour remplacer l'autre qui n'imprimait que des hiéroglyphes et il m'a aussi acheté des poêlons pour me faire la bouffe chez moi, car il vient très souvent chez moi maintenant, surtout depuis qu'il sait que je ne vois plus Monsieur marque de soupe poulet et nouilles, que j'ai rompu avec lui, que je lui ai dit qu'il n'était qu'un chapitre dans ma vie et que ce chapitre était terminé.

Non, on ne m'a pas gardée longtemps à l'hôpital. De toute façon, avec les coupures budgétaires, les opérés sont presque mis à la porte durant l'opération avec la petite trousse *Comment se recoudre soi-même*, alors, pour les bobos de l'âme, c'est encore plus rapide. Mon prof de littérature m'attendait à la sortie dans sa Hyundai familiale quatre portes, avec des yeux chauds et humides, du sel de mer jaillissait de ses pupilles trop dilatées, ma psy l'a vu et lui a lancé un regard courroucé, Tchéky a regardé par terre. Quand je suis montée dans sa voiture, il a démarré, roulé quelques coins de rues puis il a arrêté l'auto et m'a embrassée, il ne voulait pas m'embrasser devant ma psy, l'hypocrite, il sait qu'elle n'est pas d'accord avec cette relation, avec l'accroc qu'il a déjà fait dans son code de déontologie, même si je ne suis plus son étudiante depuis des lustres, il y a un code de déontologie au lit.

Depuis ce fâcheux événement, il n'a pas cessé de me

traiter aux petits oignons, il est persuadé que j'ai tenté de me suicider parce que je l'aimais trop, mais il n'a rien compris, je l'aime au point de créer la vie, non pas de la détruire.

Et les journées passent et il est de plus en plus présent, silencieux, mais présent. Je ne veux jamais que ça cesse, je suis prête à avaler tous les cachets de la terre et à subir des lavages d'estomac tous les matins, à m'ouvrir les veines tous les soirs entre sept et huit heures, à me pendre avec les fils de mon stéréo trois fois par semaine pour qu'il m'aime plus fort, je ne veux jamais que ça cesse.

* * *

Tchéky m'emmène à la campagne. Je suis sur la 10 avec mon père de fortune, mon père patenté, et on s'en va à Lake Placid, en fait, on ne s'en va pas à Lake Placid en passant par la 10, mais à Lake View, mais moi, j'aime mieux dire Lake Placid, sans trop savoir pourquoi, peut-être est-ce parce que la sonorité me rappelle celle des Ice Capades ? J'y suis allée, voir les Ice Capades, quand j'avais quatre ans et demi, j'y suis allée, au Forum de Montréal, bien des années avant qu'il se fasse transformer en cinéma des horreurs et qu'on construise le Centre Molson, bien des années avant que les Canadiens de Montréal se fassent acheter par les Américains des États-Unis, j'y suis allée avec ma mère folle à lier et mon beau-père, c'était la sortie suprême de mes quatre ans et demi, ma mère avait dû se préparer pendant quatre jours, *Est-ce que je mets cette jupe-ci ou cette jupe-là ? Cette chemise-ci ou cette chemise-là ?* et se maquiller pendant six heures avant qu'on y aille, elle ne quittait jamais l'appartement miteux, ma mère, elle était comme un petit oisillon qui a décidé de ne jamais sortir de sa coquille et qui est mort étouffé dans sa coquille, mais là, elle avait tout de même accepté de quitter l'appartement miteux et d'aller au Forum de Montréal, avec sa coquille sur le dos. On était si haut dans le Forum que je voyais à peine les patineurs, ils étaient comme des petits bonshommes de toutes les couleurs, je m'ennuyais royalement, après un quart d'heure, je pleurais déjà comme une débile pour m'en aller. J'espère que je ne m'ennuierai pas autant à Lake Placid, pourquoi je dis ça ? C'est sûr que je ne vais pas m'ennuyer puisque je suis avec Tchéky, on part pour vingt-quatre heures, ce qui est très rare dans notre vie de couple illicite. Sa femme a emmené ses trois enfants voir leurs grands-parents à Ottawa, j'ai mon prof de littérature pour moi toute seule vingt-quatre heures.

L'autoroute est calme, il n'y a presque pas de voitures, on roule en écoutant Jorane, *J'ai juré discipline et bonté / Mais voilà… / Mais voilà que chavirent vers l'au-delà / Mes plus pures pensées…* Tchéky regarde fixement devant lui, moi, je le regarde du coin de l'œil, ça me fait tout drôle de savoir que je l'ai pour vingt-quatre heures, il y a comme une fête dans mon estomac, ma boule d'angoisse est en plein cocktail, oui, une belle fête qui va quand même mal se terminer quand il va rentrer chez lui retrouver sa petite famille dans sa si belle maison du Plateau Mont-Royal, et que moi, je vais aller me reperdre dans mon quatre-et-demi dans mon bloc de mille étages, me morfondre seule, en écoutant Nick Cave, roulée en boule dans mon lit mort, essayant de disparaître avec mes larmes, regagner mon appartement pour dormir toutes les nuits de ma vie seule dans mon lit, la brèche triste, car, bien qu'il vienne souvent chez moi depuis ma fausse tentative de suicide, il ne se couche jamais dans mon lit ni ne m'y fait l'amour. Il n'aime pas mon lit, car il y a déjà eu d'autres gars qui s'y sont étendus, d'autres gars et d'autres filles aussi, et surtout mon beau Monsieur marque de soupe poulet et nouilles, lui, il l'a sur le cœur, comme un chip avalé de travers. Il n'aime pas mon lit que j'ai déjà partagé alors que moi, je dois le partager avec sa femme, mettre dans ma bouche ce qu'il met dans le trou plein de pertes de sa femme. Je m'ébroue, il ne faut pas que je pense à ça, sinon ça va tout gâcher, mon corps risque de se désarticuler dans le lit de la chambre d'hôtel tantôt, je l'ai pour vingt-quatre heures, il faut que j'en profite, il ne faut pas que je nous fasse chier, je dois me la fermer comme la majorité du temps, prendre sur moi, contrôler ma colère. On roule en silence pendant deux heures, de temps en temps, il me jette des coups d'œil, me fait des petits sourires. Une bruine nous suit, il pleut, rien n'est jamais parfait.

Sur une route de campagne, il arrête l'auto, il veut me montrer ce qu'il a vu : une biche qui erre près du chemin de campagne. On la regarde puis on s'embrasse, la biche nous regarde nous embrasser, on est obscènes devant la biche, je trouve, *Hé! pas devant les enfants,* on rit et on s'embrasse encore plus, les langues prennent toute la place, les bouches s'ouvrent encore plus grand, la salive coule sur nos mentons. La biche s'approche de l'auto, entre sa tête par la fenêtre, se mêle à nos baisers, une biche perdue sur nos langues, on ne bouge plus, on se laisse respirer par la biche, ses narines mouillées sur nos joues, on se laisse connaître.

Nous arrivons à l'hôtel quatre étoiles où Tchéky a décidé de m'emmener, un hôtel quatre étoiles avec une entrée qui pue le cèdre à plein nez. La réceptionniste nous demande avec un petit air qui veut dire je-sais-tout-vous-ne-m'en-passerez-pas : *Voulez-vous une chambre avec deux lits… simples?* On rit, tous les trois, on rit très fort à effrayer toutes les biches perdues de la terre.

On entre dans notre chambre minuscule, il y a des photos de couples datant du début du siècle partout sur les murs, les bureaux, des photos d'hommes et de femmes mariés pour le meilleur et pour le pire, des photos comme je n'en aurai jamais avec mon amour, mais je n'ai pas le temps de les observer attentivement, il cherche ma bouche, il veut m'embrasser, m'avaler, il veut aussi mettre ses doigts dans ma brèche, jouer dans mon liquide, s'assurer qu'il me fait mouiller, que, sans lui, je suis sèche comme un sac de papier brun, il veut se faufiler partout en moi. Je le fuis, j'évite ses caresses, je ne veux pas qu'on fasse l'amour tout de suite, je veux qu'il soit amoureux durant le repas, amoureux avec des érections en dessous de la table, des érections à fendre la nappe, je veux qu'il ait des yeux remplis de désir et qu'il patauge dans son envie de ma petite personne toute la soirée, comme ça, il me dira peut-être des belles choses quand on sera couchés, en croisant les doigts très fort, peut-être aurai-je droit à un petit *Je t'aime.*

— Sortons, Tchéky. Je veux qu'on sorte, qu'on visite le coin, qu'on aille voir s'il n'y a pas d'autres biches perdues, qu'on aille boire, surtout, se soûler tous les deux, s'enivrer, rigoler, jouer aux amoureux seuls au monde. Alors, vite, allons boire le vin des amants, *Partons à cheval sur le vin / Pour un ciel féerique divin!*

On marche sur les chemins dans ce petit village à la recherche de pubs intéressants où on pourrait cuver notre vin rouge dans notre coin et jouer aux amoureux seuls au monde. Tout le long, je suis accrochée à lui, une vraie obsédée, névrosée, folle à lier, je me pends à son cou, à ses cheveux, à ses oreilles, à ses narines, on marche un pas, deux pas, trois pas et on s'embrasse, et ça recommence, un pas, deux pas, trois pas, des baisers. On se sent libres et ce n'est pas tous les jours que ça arrive, toujours à se surveiller, toujours à faire attention de ne pas être pris en flagrant délit par sa femme, un ami de sa stupidité de femme, un de ses collègues, nous sommes de vrais pestiférés. Il fait de plus en plus noir, sur les chemins du village, et ça bruine, ça bruine dans le ciel, ça bruine dans les arbres, ça bruine dans nos cheveux et ça bruine dans nos yeux, on annonce de la pluie tout le week-end, une fin d'hiver pluvieuse, nos vêtements sont collants, lourds, humides. On entre dans le premier pub qui se trouve sur notre chemin, on boit en se racontant nos meilleurs moments ensemble, nos best of, on se fait un coffret cadeau de notre amour. Une fois qu'on a assez cuvé notre vin dans notre coin, on décide d'aller cuver d'autres vins dans le resto de l'hôtel quatre étoiles. Ça va lui coûter un bras.

Tchéky n'arrête pas de commander de la nourriture et de l'alcool. Je ne l'ai jamais vu manger et boire autant, il est soûl, une gorgée de Minervois, une bouchée de soupe au bleu, une gorgée de Minervois, une bouchée de salade d'artichauts, une gorgée de Château… une bouchée de canard, puis, pour finir, deux portos et une crème brûlée, allez hop ! tout ça derrière la cravate, et moi qui le suis, qui m'enivre et m'empiffre autant. Une fois l'orgie d'alcool et de bouffe terminée, on roule jusqu'à l'auto. Il dit qu'il a quelque chose pour moi.

On est assis dans sa Hyundai familiale quatre portes et on fume des clopes en écoutant *Kid A*, les quatre portes de la Hyundai sont ouvertes, on ne veut pas puer la cigarette. La musique de Radiohead se répand dans le stationnement, *Yesterday I woke up sucking a lemon / Yesterday I woke up sucking a lemon*, moi, c'est tous les matins que je me réveille en suçant un citron, c'est aigre aimer un homme marié à temps plein, qui a trois enfants, une maison rue Brébeuf, une hypothèque, des responsabilités et qui n'a presque pas de temps pour moi, c'est tellement aigre que j'en ai mal aux dents. Ma petite mémé psychotique m'a déjà dit que lorsqu'on a mal aux dents, c'est parce qu'on a une peine de cœur, peut-être qu'elle avait raison pour une fois, mais comment savoir, elle m'a dit tellement de niaiseries dans sa vie, *Si t'es pas gentille, on va te placer! Tu rends ta mère folle à lier! T'es juste une petite pute, Émilie-Kiki!* Oui, une petite pute ou plutôt une belle petite effeuilleuse. Quand je mets *Bela Lugosi's Dead* de Bauhaus et que je me déshabille en me trémoussant, que j'enlève lentement mes vêtements, que je me pince le bout des seins et que je me rentre le doigt dans la brèche, il adore ça, Tchéky, et il en redemande, *Fais-moi une danse, Kiki!* et je lui fais une danse et il sort sa queue et se flatte en me regardant. Sa femme ne doit pas lui en faire, de danse à 10 ou à 20, elle est vieille, elle a eu des enfants, je ne l'ai jamais vue, mais je suis certaine qu'elle ressemble à la grosse femme du parc Belmont, elle doit avoir le ventre bourré de vergetures, les cuisses couvertes de varices, sa peau doit pendre jusqu'en Amérique du Sud.

— Kiki, regarde ce que j'ai pour toi.

Il me tend une petite boîte couverte de clowns tout souriants avec des ballons.

— Je n'ai pas pu résister quand je les ai vus.

Je défais le papier en prenant bien soin de ne pas détruire les clowns, il ne faut pas que je détruise quelque chose qui pourrait facilement être un album de famille.

— Un porte-monnaie !

— Oui, c'est un Diva qui vient d'Italie, avec des milliers de compartiments comme un train. Regarde à l'intérieur.

Je fouille dans les milliers de compartiments. Une montre ! Il tient à ce que je sois organisée, il veut m'organiser !

— Est-ce que ça te fait plaisir ?

— Oui, Tchéky !

— Viens, approche ta bouche.

On s'embrasse et on s'embrasse, nos mains se faufilent partout, dans son pantalon, sous mon chandail, on enlève des morceaux dans sa Hyundai familiale quatre portes, dans le stationnement, et on s'embrasse, nos langues n'en finissent plus de se caresser, de tourner l'une contre l'autre, des cous de cygnes.

— Kiki, j'ai quelque chose à te dire. Je veux que tu m'écoutes attentivement.

Il regarde ma bouche, mes yeux, tourne la tête, perd son regard dans le stationnement, se retourne, regarde à nouveau ma bouche, mes yeux, mes cheveux, son visage n'est pas comme d'habitude, ce quelque chose qu'il a à me dire le défigure. Et toute cette anxiété dans ses mouvements ! J'ai peur. Je ne l'ai jamais vu comme ça, que se passe-t-il ? Des picotements m'envahissent, des chocs électriques traversent mon dos.

— Kiki… Euh… Je voudrais te dire…

Je n'en peux plus, l'éternité entre le verbe et le complément d'objet direct, je vais piquer une crise de nerfs. J'ai peur. J'aurais envie de lui crier un tas de bêtises, lui hurler qu'il n'a pas le droit de me faire languir de cette façon, s'il veut me laisser, qu'il me le dise là, tout de suite, qu'il me le dise en s'aidant d'un couteau, d'un pistolet, d'une scie mécanique, mais qu'il arrête de me faire souffrir.

— Kiki… Je t'aime.

Le silence partout autour, je n'entends plus la musique de Radiohead, je vois des gens passer devant la Hyundai familiale quatre portes, mais je n'entends pas non plus ce qu'ils se racontent.

— Je sais ce qu'on a fait l'autre jour dans la chambre d'hôtel. Je le sais, rajoute-t-il.

Tout tremble, les arbres, l'hôtel, le jardin, le ciel vacillent, la terre s'ouvre, l'auto s'engouffre, je suis disloquée, ma vue est floue, je vois tout embrouillé, la foudre me transperce, des étoiles tombent du ciel et viennent se déposer dans mes yeux, je ne peux pas parler, j'ai l'estomac dans la bouche, je suis aphasique, dyslexique, narcoleptique, j'habite un puzzle qu'une petite fille a oublié de terminer, il me manque des morceaux. Tchéky s'approche de mon visage pour m'embrasser, c'est un étranger que j'ai devant moi, quelqu'un que je ne connais pas, quelqu'un qui me veut du bien, ce n'est pas mon prof de littérature, mon prof de littérature ne dit pas ce genre de chose, mon prof de littérature ne parle pas, mon prof de littérature a besoin d'un petit clown pour animer ses soirées canadiennes, pas d'une vraie amoureuse, un clown, je n'y comprends plus rien, il me fait peur.

Il entrouvre mes lèvres avec ses doigts, ça goûte le sel et la cendre de cigarette, il entre son index et son majeur dans ma bouche et tourne avec ma langue qui copie mécaniquement le mouvement. Tchéky me frenche avec sa main pendant que son autre main va jouer en dessous de ma jupe pour frencher mes ovaires.

— Viens, on va aller dans la chambre.

Il me traîne jusqu'à la chambre, c'est à peine s'il enlève ses doigts de ma bouche et de mon ventre pendant que nous marchons dans le corridor. Dès que la porte de la chambre est fermée, il s'accroupit devant moi, lève ma jupe, baisse mes petites culottes à fleurs et m'embrasse avec sa bouche, sa langue, son front, ses joues, son menton, son nez, ses cheveux, il met toute sa tête à l'entrée de ma brèche comme s'il voulait que je le berce dans mon utérus, que je le nourrisse à même mon estomac. Je ne comprends plus rien, je bouge à peine, je suis restée quelque part sur une terre qui tremble, je suis restée scindée en deux, perdue dans une autre dimension, ça griche dans ma tête, je veux l'amour de mon prof de littérature, je veux l'amour de cet homme, je veux que mon père patenté m'aime, je le veux plus que tout au monde, et là je l'ai, mais j'ai peine à le croire, comme si ça ne se pouvait pas que mon amour me dise *Je t'aime.* Je voudrais lui demander de répéter ce qu'il a dit, *Je t'aime,* mais j'ai peur de parler et qu'il se rende compte qu'il a dit une bêtise, j'ai peur qu'il brise mon rêve de petite princesse et de carrosse doré, je ne parle pas, je me transforme en poupée, je lui laisse mon corps en entier. Mon prof de littérature est à genoux devant moi.

* * *

La Hyundai familiale quatre portes fend le matin à cent vingt kilomètres heure. On ne parle pas, on écoute encore Radiohead : *Everything / Everything / Everything / Everything / In its right place / In its right place / In its right place / In its right place / Yesterday I woke up sucking a lemon / Yesterday I woke up sucking a lemon / Yesterday I woke up sucking a lemon…* Thom Yorke fait comme des blablabla entre les couplets, des blablabla comme ce qui meublait mon existence avant que mon prof de littérature apparaisse, des blablabla, je parlais pour rien dire à travers ma vie qui n'avait aucun sens, des petits fragments d'Émilie-Kiki se répandaient ici et là, mais maintenant tout est concentré, tout est là, concentré, concentré sur lui.

La voiture s'engage dans un chemin de campagne bordé par une montagne, une micro route, la campagne défile. C'est la fin de l'hiver, la neige est presque toute fondue, les arbres sont dépouillés de leurs feuilles, il pleut, paysage de désolation. Ma main parcourt le derrière de sa tête, je l'aime, nous n'avons pas prononcé une seule parole depuis hier dans l'auto. Parfois, il lâche le volant pour mettre sa main sur ma cuisse, la gauche, et il fait une petite pression, ça me fait du bien. Est-ce bien vrai ce qu'il a dit hier ? Est-ce bien vrai qu'il m'aime ? Est-ce une ouverture, une possibilité de vie à deux qu'il me montre là avec son *Je t'aime*? Se pourrait-il qu'il finisse enfin par quitter sa femme pour moi, parce qu'il m'aime ? J'ai peur de revenir à Montréal et que tout redevienne comme avant, moi seule dans mon quatre-et-demi dans mon bloc de mille étages, perdue dans mon salon entre la télé et le futon, la main au-dessus du téléphone au cas où il appellerait, lui occupé, trop occupé, sa femme, ses enfants, ses cours, ses étudiants, son hypothèque, Kafka, ses conférences, ses milliers de responsabilités et ses recueils de poésie. Moi, mon livre, je l'écris sur sa peau, à même sa vie, je creuse dans sa chair notre histoire, *The Pillow Book*, mon encre s'incruste dans ses pores, ça ne partira pas, je ne partirai pas, il restera marqué de toute façon, je vole sa peau pour écrire le livre de ma vie.

Les forêts aux arbres tristes continuent de défiler, mes yeux habitués au paysage remarquent soudainement une biche et son bébé qui sortent du bois et s'amènent à toute vitesse, ils se dirigent droit vers l'auto, un suicide familial.

— Tchéky, attention, la biche et son bébé. Attention Tchéky, la biche et son bébé !

— Oh oui, la biche...

— Tchéky, la biche...

* * *

La pluie tombe à verse, son crépitement me rassure, il me rappelle les petits instants de bonheur que j'ai déjà vécus avec ma famille au camping Laurier, en face du mont Saint-Hilaire, des petits instants de bonheur, même si ma petite mémé psychotique n'arrêtait pas de dire de mon beau-père que c'était un ostie de chien sale, et que ma mère folle à lier finissait toujours en pleurs cachée quelque part entre la table de la roulotte et le frigo, de tous petits instants de bonheur qui me laissaient croire que j'avais une famille, une belle famille dans une roulotte sur laquelle la pluie tombait. Mon visage brûle, j'essaie d'ouvrir les yeux, ça me demande un effort considérable, presque surhumain, après plusieurs tentatives, je réussis. Je vois mon visage dans le rétroviseur, le miroir pleure, des morceaux de la vitre du pare-brise se sont incrustés dans mes joues et dans mon front, un morceau perdu s'est même logé dans la paupière de mon œil gauche, il ne faut pas que je la bouge trop, ma paupière, j'ai peur de me fendiller l'œil. Bouger m'est très difficile, tous mes os me font mal, au moindre petit mouvement, je vois des étoiles qui font des farandoles autour de ma tête comme dans les dessins animés, le chat Sylvestre s'est fait sonner par une casserole, des éclairs me transpercent de bord en bord. Je referme les yeux, je ne lutte plus, le sommeil m'absorbe.

* * *

La pluie me réveille, encore une fois, des gouttes de pluie tombent sur mon visage, ça rafraîchit, la peau de mon visage brûle moins. Après plusieurs essais, je parviens enfin à bouger le haut de mon corps. Je crois que j'ai les genoux broyés et que je n'ai plus de rotules ni de tibias, en fait, je ne sens plus mes jambes. Qu'est-ce qui s'est passé ? Ma tête veut éclater pour se répandre dans l'auto fracassée, qu'est-ce qui s'est passé ? La route, les montagnes, la maman biche et son bébé, l'arbre, mon prof de littérature, *Tchéky ! Mon amour !* Il n'est pas à côté de moi, il n'est pas là ! À sa place, c'est le vide.

J'ouvre la portière de la Hyundai familiale en me tenant le plus solidement que je peux à la poignée, je parviens à bouger ma petite personne qui se laisse transporter très difficilement, mes deux jambes ne répondent toujours pas, une moitié de mon corps ne m'écoute plus, mon corps ne m'appartient plus, comme si quelqu'un avait pris le contrôle d'une partie de moi et la faisait bouger à l'aide d'une télécommande, comme si cette personne s'était endormie en me laissant à moitié animée. Je force. Je force.

— Tchéky, où es-tu, mon amour?

Mes bras tremblent, j'ai mal partout. J'ouvre la porte et m'y accroche. Je force. Je force.

— Tchéky, où es-tu mon amour?

Mes jambes ne répondent toujours pas, je force, je force. Quand il y a suffisamment d'espace entre la porte et moi, je me laisse choir sur la terre mouillée, je suis couverte de boue et de neige, mes cheveux blonds coulent sur ma figure, je bouffe quelques mèches, ça goûte mauvais, ça goûte la terre, l'eau sale et le métal, je saigne de partout, mon visage brûle, j'ai froid aussi. Le froid semble venir de mes os, un froid d'azote. J'ai tellement forcé que je suis complètement épuisée, complètement. Mes nerfs flanchent, des éclairs devant mes yeux qui se ferment peu à peu.

* * *

Il ne pleut plus. L'odeur de la terre mouillée s'imprègne dans mon cerveau, je suis couchée face contre le sol comme quand j'étais petite et que je voulais respirer la pluie, étendue dans la cour arrière du 2020 de la rue Dorion où ma grand-mère habitait et où je demeurais avec elle huit mois par année parce que ma mère était internée. Mon cœur est rempli comme une disquette trop remplie, mon cœur était sur le point d'être libéré, d'être lavé de toutes les blessures de mon passé, il allait être upgradé, j'allais peut-être enfin avoir une vraie vie, comme j'en ai toujours voulu une, avec une famille, et une pagode à Brossard peut-être, et des barbecues le dimanche avec des tas d'amis, et un homme dans la maison qui veut que je lui apporte son journal, sa bière, ses chips, ses lunettes, une petite Fido blonde, Wouf ! Wouf ! Avoir tout ça avec mon père patenté, mon père de fortune, mais voilà, il a disparu, mon prof de littérature n'est pas à côté de moi. Peut-être que je panique trop vite ? Peut-être est-il simplement parti chercher de l'aide ? Ou bien est-il parti chez lui et là il est entouré de sa femme et de ses enfants ? Peut-être a-t-il fait exprès pour qu'on se plante dans l'arbre ? Peut-être qu'il regrettait ce qu'il a dit hier, alors il a préféré arrêter ça là ? Je suis trop épuisée, il ne faut plus que je pense. Dormir. Dormir.

* * *

L'odeur du monoxyde de carbone se mêle à celle de la terre mouillée, je dois tourner la tête, l'odeur du monoxyde devient trop prenante. Je ferme les yeux pour concentrer toutes mes forces, mon cou répond à ma demande, au ralenti, comme la fois où j'ai gobé des tas d'anxiolytiques, ça fait presque du bien, cette souffrance. La tête enfin tournée, j'ouvre les yeux, Tchéky est là, couché sur le dos, à côté de moi, presque à côté.

— Tchéky, mon amour ! Est-ce que ça va ? Tchéky, mon amour, est-ce que tu m'entends ? Réponds-moi, Tchéky !

Il faut que je m'approche de lui, je dois le toucher, il

faut qu'il sente mon corps près du sien, il le faut. Je rampe vers lui, de toutes mes forces, je rampe, du sang recommence à couler dans mes yeux, ma paupière fait mal, j'évite de cligner de l'œil, je vois rouge, mes jambes ne répondent toujours pas. Je force. Je force.

— Tchéky, mon amour, j'arrive, je viens te rejoindre.

Je suis près de lui, ma tête est maintenant appuyée sur son épaule, il tremble de partout comme s'il venait de recevoir une injection d'adrénaline, ma tête tremble aussi. Soudain, d'autres souvenirs me reviennent, Tchéky, l'arbre ! Tchéky, non ! Tchéky, reste à côté de moi. Ne t'envole pas ! La vitre du pare-brise se fracasse sous le poids de son corps, il vole au ralenti, une sœur volante sans chapeau blanc.

— Tchéky, mon amour, est-ce que tu m'entends ? Je suis là, mon amour.

Je parviens à lever la tête et à soulever tout le haut de mon corps. Je suis au-dessus de son visage comme il m'est arrivé souvent de l'être après l'amour quand, couchés dans une des milliers de chambres d'hôtel, il me parlait de littérature et de vie d'écrivains.

— Tchéky, parle-moi de Duras, parle-moi de Jean-Jacques Schuhl… de Beckett. Tu te rappelles Beckett, on l'aime tous les deux… Tu te souviens de cette parodie qu'on avait inventée à partir de *Molloy*, un *Molloy* transposé dans le quartier gai. Le gai A rencontre le gai B, tu te rappelles… Qu'est-ce qu'on avait ri devant nos plats de pâtes aux funghis… Ton plat de pâtes préféré.

Il ne tremble plus, ses yeux restent ouverts, trop ouverts, ce n'est pas normal des yeux ouverts comme ça, des yeux qui ne clignent pas, des yeux comme ceux de ma mère folle à lier de mon enfance, ses yeux qui ne bougeaient pas parce qu'elle était habitée par la folie. Sa bouche s'emplit de liquide rouge, de plus en plus de liquide rouge et, étrangement, ça gonfle, une grosse bulle de sang sort maintenant de sa bouche comme une balloune de Bubble Yum, et ça gonfle, et ça gonfle, toute sa vie est maintenant dans cette bulle, je le sais, toute sa vie se résume à cette bulle, sa vie de professeur d'université, sa vie de savantes études, sa vie de poète, sa vie de maestro de la poésie, sa vie d'homme marié, sa vie de père de famille un peu gauche, et sa vie avec moi, sa vie qu'on allait peut-être partager, sa vie qui était tout pour moi, sa vie de père patenté d'une petite étudiante orpheline qui n'a eu que des miettes à se mettre sous la dent. La bulle de sang gonfle encore, ça n'arrête pas, c'est tellement ridicule, il a l'air fou, on ne peut pas vivre ses derniers instants comme ça, en ayant l'air fou.

— Tchéky ! Un peu de dignité.... Une balloune... Ça n'a pas d'allure !

La bulle éclate.

La réaction chimique est finie, le monoxyde de carbone qui s'échappe de l'auto emplit des poumons, les miens, car moi, je respire toujours, moi et mes genoux broyés, mes jambes qui ne répondent plus de rien, et je respirerai toujours quand les secours viendront nous chercher, je respirerai toujours, mais mal, mon rêve est pris dans ma gorge, il restera pris, mon rêve de vie à deux, mon rêve d'avoir mon prof de littérature pour toujours dans mon lit, dans ma bouche, mon rêve de l'avoir toujours à mes côtés, entourée par ses bras d'amour, mon rêve de fusion avec mon père patenté, ça n'existe plus. Il est parti, il est ailleurs, mais j'entends encore son souffle dans mes oreilles, j'entends encore sa petite toux quand il fumait mes cigarettes, ses rires quand je lui disais des conneries, quand je sortais ma panoplie de farces plates pour animer nos petites soirées canadiennes, j'entends même encore ses silences, ses silences comme des façons d'entrer en moi par une porte dont lui seul avait la clé, je suis seule, trop seule.

— Tchéky, mon amour, est-ce que tu savais que je t'aime, que je t'aime comme un chien abandonné à la campagne par une famille partie passer ses vacances à Old Orchard, qui hurle dans la forêt et mange les poules des fermiers, et qui trouve enfin une maison chaude et des maîtres gentils pour lui flatter le ventre ? Est-ce que tu savais que je t'aime comme un naufragé sur un radeau en plein milieu du Pacifique qui voit au loin un paquebot chinois ? Est-ce que tu savais que je t'aime comme l'eau que l'on boit quand on a très soif, comme le sandwich aux tomates que l'on mange quand a juste envie d'un sandwich aux tomates ? Est-ce que tu savais que je t'aime à en remettre les pendus à l'heure juste, à en faire pousser des bambies même si tu me fais une tchécoslavidure ? Est-ce que tu savais tout ça, mon amour ?

Non, il ne le sait pas, il est parti avant que j'aie pu le lui dire, avant que j'aie pu sortir mon cœur pour l'ouvrir et lui montrer ce qu'il y a à l'intérieur, qu'il voie que même avec les miettes qu'il me donnait, j'étais en train de nous bâtir un château en Espagne. Il est parti, encore une fois on m'a volé ma famille, crisse, crisse, crisse, crisse !

La pluie lave les traces de vie sur sa figure, des coulisses de sang et de boue, puis plus rien, la peau couverte d'eau brille, sa vie disparaît sous une douche de pluie acide. À travers le crépitement de la pluie, des voix parviennent jusqu'à mes oreilles, faiblement, des voix d'hommes, des bruits de cellulaire, une main dans mon dos, mais ce n'est pas celle de mon prof de littérature, ce n'est pas la sienne. On me parle, on me dit des phrases qui n'ont aucun sens. *Tout va bien aller*, *On s'occupe de tout*, *On s'occupe de vous*, *N'ayez plus peur*, j'entends tout ça comme si ça provenait d'un long corridor de cauchemar, le cauchemar de perdre l'homme de sa vie mort à travers des éclats de pare-brise. J'entends aussi les petites plaintes du bébé de la biche à côté de sa maman partie brouter de l'herbe au paradis pour toujours, le bébé lèche le ventre déchiré de sa maman, il lèche et lèche le sang, les morceaux d'intestins verts, gris, bruns, il lèche, il en mange presque, et il continue d'émettre de petites plaintes, le bébé de la biche a une branche plantée dans le flanc, une grosse branche qui lui passe au travers du corps, un faon de carrousel dans un cirque avec des poignées auxquelles se tiennent les enfants.

ÉPILOGUE

Aujourd'hui, j'ai fait quelques pas de plus dans la vie, quelques pas, quatre ou cinq, j'ai marché de la table au comptoir de la cuisine dans mon bloc de mille étages, un petit pas pour l'homme, mais un grand pas pour mon humanité. J'ai envoyé ma chaise roulante rouler dans le beurre, puis je l'ai laissée me regarder et j'ai ri, un grand éclat de rire, ça m'a fait du bien, un bien fou. Mon chat jaune a presque ri avec moi, mais il s'est retenu, je l'ai bien élevé, l'amas de poils. J'espère que je réussirai aussi à bien élever ma petite descendance, mes petites moi sorties tout droit de mon placenta, qui marchent déjà presque plus que leur maman. Elles sont habiles avec leurs jambes, quand elles ne sont pas en train de les exercer à marcher comme des fildeféristes, elles les mettent dans leur bouche, tous les orteils dans leur minuscule bouche, de vraies petites contorsionnistes, un peu comme moi avant, lorsque Tchéky m'écrasait de tout son poids de prof d'université qui remplit des tas de subventions et que j'écartais les jambes dans les airs, un grand V au-dessus de son dos, un grand V qui un jour lui a permis d'éjaculer jusque dans mon cœur et de laver toute la pourriture qui me grugeait à petit feu. Cette journée-là, il s'est installé pour de bon dans ma vie. C'est sûr qu'au début, il y a eu les effets secondaires, le ventre qui enfle sans arrêt à se transformer en montgolfière de peau, les nausées de toutes les couleurs, les étourdissements blancs mais, comme j'étais en fauteuil roulant, je ne tombais jamais par terre, je restais toujours droite dans les airs, seule ma tête se déposait sur une de mes épaules, plus souvent la gauche. Et ensuite, les piqûres, les infirmières et le médecin avec son bras au complet dans ma brèche pour aider les petites moi à sortir, les forceps entrés jusqu'aux amygdales qui cherchent et qui cherchent, et on défonce la brèche et on recoud la brèche tout croche, un sourire faux, et la douleur qui faisait cependant moins mal qu'une certaine bulle de sang, une bulle ridicule qui contenait une vie en entier. Pour ne jamais oublier, et pour qu'elles n'oublient pas elles non plus, mes petites moi, il y a ce journal dont elles pourront lire des extraits quand elles seront plus vieilles mais, en attendant, puisqu'elles ne savent pas encore lire, mes petites moi, et qu'une des deux aura sûrement beaucoup de difficulté à lire plus tard, avec son œil en moins, son œil crevé, j'ai dessiné des grosses bulles de gomme balloune sur les murs de leur chambre, des grosses bulles de gomme qui sortent de la bouche rouge de clowns au sourire triste. Quand ce ne sont pas des grosses bulles de gomme balloune qui sortent de leur bouche rouge, aux clowns, ce sont des phylactères dans lesquels sont écrits des blablabla, des paroles vides de sens, mon prof de littérature ne parlait pas, enfin presque pas. Je vais éduquer ma petite descendance à ne pas parler, je vais bien les élever, mes petites moi qui s'approchent à quatre pattes, elles veulent que je les prenne dans mes bras et que je les assoie sur mes genoux broyés, elles veulent se couler jusqu'à se fondre en moi. Elles avancent toutes souriantes, elles ont les cheveux blond cendré sale de leur père, mais elles ont mon visage, un visage de clown qui sourit tristement, mon cirque continue.

Montréal, 31 décembre 2001

Table des matières

Dans la collection « Boréal compact »

Gilles Archambault

La Fleur aux dents
La Fuite immobile
L'Obsédante Obèse et autres agressions
Parlons de moi
Les Pins parasols
Stupeurs et autres écrits
Tu ne me dis jamais que je suis belle et autres nouvelles
Un après-midi de septembre
La Vie à trois
Le Voyageur distrait

Pierre Billon

L'Enfant du cinquième Nord
L'Ogre de Barbarie

Nadine Bismuth

Les gens fidèles ne font pas les nouvelles
Scrapbook

Marie-Claire Blais

La Belle Bête
David Sterne
Le jour est noir suivi de *L'Insoumise*
Le Loup
Manuscrits de Pauline Archange, Vivre! Vivre! et *Les Apparences*
Les Nuits de l'Underground
Œuvre poétique 1957-1996
Pierre
Soifs
Le Sourd dans la ville
Tête blanche
Textes radiophoniques
Théâtre
Une liaison parisienne
Une saison dans la vie d'Emmanuel
Un Joualonais sa Joualonie
Visions d'Anna

Jacques Brault

Agonie

Louis Caron

Le Canard de bois
La Corne de brume
Le Coup de poing
L'Emmitouflé

Ying Chen

Immobile

Gil Courtemanche

Un dimanche à la piscine à Kigali

France Daigle

Pas pire

Francine D'Amour

Les dimanches sont mortels

Les Jardins de l'enfer

Christiane Frenette

Après la nuit rouge

Celle qui marche sur du verre

La Terre ferme

Jacques Godbout

L'Aquarium

Le Couteau sur la table

L'Isle au dragon

Opération Rimbaud

Le Temps des Galarneau

Les Têtes à Papineau

François Gravel

Benito

Louis Hamelin

Le Joueur de flûte

Anne Hébert

Les Enfants du sabbat

Œuvre poétique

Le Premier Jardin

Bruno Hébert

Alice court avec René

C'est pas moi, je le jure !

Michael Ignatieff

L'Album russe

Suzanne Jacob

Laura Laur

L'Obéissance

Rouge, mère et fils

Marie Laberge

Annabelle

La Cérémonie des anges

Juillet

Le Poids des ombres

Quelques Adieux

Marie-Sissi Labrèche

Borderline

La Brèche

Dany Laferrière

Pays sans chapeau

Robert Lalonde

Le Diable en personne

Le Monde sur le flanc de la truite

L'Ogre de Grand Remous

Le Petit Aigle à tête blanche

Que vais-je devenir jusqu'à ce que je meure ?

Sept lacs plus au nord

Une belle journée d'avance

Monique LaRue

Copies conformes

La Gloire de Cassiodore

Louis Lefebvre

Le Collier d'Hurracan

Françoise Loranger

Mathieu

André Major

La Folle d'Elvis

L'Hiver au cœur

Le Vent du diable

Yann Martel

Paul en Finlande

Marco Micone

Le Figuier enchanté

Christian Mistral

Sylvia au bout du rouleau ivre

Vacuum

Valium

Vamp

Vautour

Hélène Monette

Crimes et Chatouillements

Le Goudron et les Plumes

Unless

Pierre Monette

Dernier automne

Daniel Poliquin

L'Écureuil noir

La Kermesse

Monique Proulx

Les Aurores montréales

Le cœur est un muscle involontaire

Homme invisible à la fenêtre

Yvon Rivard

Le Milieu du jour

L'Ombre et le Double

Les Silences du corbeau

Louis-Bernard Robitaille

Maisonneuve, le Testament du Gouverneur

Gabrielle Roy

Alexandre Chenevert

Bonheur d'occasion

Ces enfants de ma vie

Cet été qui chantait

De quoi t'ennuies-tu, Éveline? suivi de *Ély! Ély! Ély!*

La Détresse et l'Enchantement

Fragiles lumières de la terre

La Montagne secrète

La Petite Poule d'Eau

La Rivière sans repos

La Route d'Altamont

Rue Deschambault

Le temps qui m'a manqué

Un jardin au bout du monde

Jacques Savoie

Les Portes tournantes

Le Récif du Prince

Une histoire de cœur

Mauricio Segura

Côte-des-Nègres

Gaétan Soucy

L'Acquittement

L'Immaculée Conception

La petite fille qui aimait trop les allumettes

Marie José Thériault

L'Envoleur de chevaux

Marie Uguay

Poèmes

Guillaume Vigneault

Carnets de naufrage

Chercher le vent

MISE EN PAGES ET TYPOGRAPHIE :
LES ÉDITIONS DU BORÉAL

CE TROISIÈME TIRAGE A ÉTÉ ACHEVÉ D'IMPRIMER EN FÉVRIER 2008
SUR LES PRESSES DE MARQUIS IMPRIMEUR
À CAP-SAINT-IGNACE (QUÉBEC).